I0636809

Sommaire

Première édition francaise 1979 par Hachette
Première publication en Grande-Bretagne

©1978 Usborne Publishing Ltd, 20 Garrick St, Londres WC2

Imprimé en Grande-Bretagne

©1987 Usborne Publishing Ltd

ISBN 0 7460 0210 6
Dépôt légal no. 8421

LES PIERRES & LES MINERAUX

A. Woolley
Adaptation de Danielle Fournier
Photographies de M. Freeman
Illustrations de Ch. Howes et B. Hersey

EDITIONS USBORNE

Sommaire

Première édition francaise 1979 par Hachette
Première publication en Grande-Bretagne ©1978
Usborne Publishing Ltd, 20 Garrick St,
Londres WC2
Imprimé en Grande-Bretagne
©1987 Usborne Publishing Ltd

ISBN 0 7460 0210 6
Dépôt légal no. 8421

Comment utiliser ce livre

Cochez chaque minéral, roche ou fossile trouvé

Page	Nom	Score	Date oct. 3	Date déc. 5	Date janv. 9
7	or	5	5	5	5

Ce livre est destiné à vous aider à reconnaître les roches, les minéraux ou les fossiles que vous rencontrerez. Il a été divisé en trois parties distinctes. Chacune d'elles commence par une courte introduction expliquant ce que sont les roches, les minéraux et les fossiles, où les trouver et comment les identifier.

En face d'une pierre, trouvée ou vue dans une collection, essayez de deviner s'il s'agit d'une roche ou d'un minéral et comparez-la avec les photos du livre, dans le chapitre correspondant. La légende vous donnera d'autres précisions et vous indiquera les tests éventuels.

Si un mot vous semble difficile, consultez le petit lexique de la page 60-61 ou l'index de la page suivante.

Votre pierre une fois identifiée, cochez le cercle qui accompagne sa définition.

Vous pouvez aussi noter sur le tableau des pages 63 et 64 les points obtenus pour chaque spécimen vu ou trouvé. Si au cours d'une sortie, vous rencontrez beaucoup de roches, minéraux ou fossiles, au musée par exemple, vous totaliserez un score impressionnant !

Où chercher

Tous les endroits où la terre a été remuée, bouleversée par l'homme ou attaquée par les eaux et le vent sont à prospecter : les falaises, les lits de rivières à sec, les remblais d'autoroutes, les champs et même les jardins. Faites attention, ne vous approchez pas de rochers en équilibre instable et ne tentez pas l'escalade de parois abruptes. N'oubliez pas de demander l'autorisation du propriétaire avant d'emporter des pierres de son terrain.

Les carrières désaffectées peuvent être très dangereuses. Si elles sont encore exploitées, vous ne pourrez pas y pénétrer, aussi est-il préférable de rechercher ailleurs vos échantillons. Où que vous habitiez, vous pourrez trouver la plupart des roches et minéraux présentés dans ce livre. Les plus rares sont exposés dans des musées.

Que vous faut-il ?

Avant de partir, reportez-vous à la page 58 pour savoir de quel équipement vous aurez besoin et comment remplir votre bloc-notes d'amateur de roches.

Étudier la Terre

Nous vivons à la surface de la croûte terrestre. Les montagnes et les mers en font partie, de même que les continents

La couche suivante s'appelle le manteau. Chaud, il est constitué en partie de roches fondues ou magma

Le noyau, au centre de la Terre, est encore plus chaud

La Terre est faite de

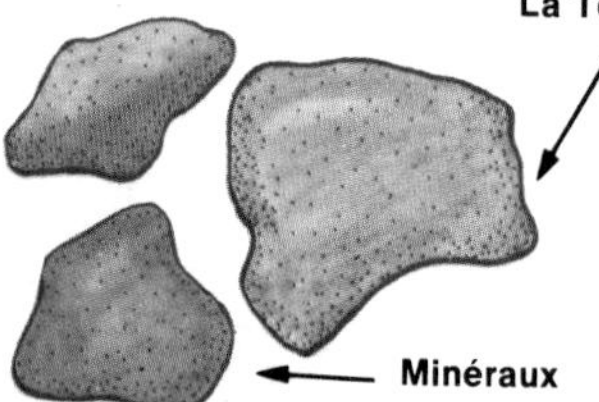

Minéraux

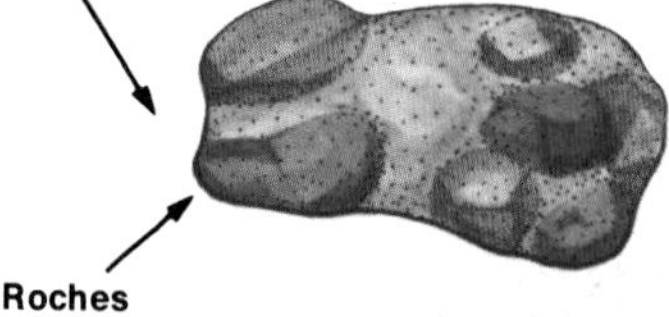

Roches
(assemblages de minéraux)

Ce croquis vous montre les différentes couches qui constituent la Terre. Les géologues étudient ces couches ainsi que les roches et les minéraux qui les composent. Ils recherchent comment la Terre s'est formée, comment elle évolue et ce qui la modifie. La plupart de leurs observations reposent sur l'étude de la croûte terrestre. Les autres couches sont inaccessibles.

Que sont les minéraux ?

Les roches sont constituées d'un ou de plusieurs minéraux, c'est pourquoi il vaut mieux se pencher d'abord sur les minéraux avant de regarder les roches.
Les minéraux sont formés **d'éléments**. Ces éléments, ou particules, ne se décomposent pas. Quelques minéraux, comme l'or, ne possèdent qu'un élément. Mais la plupart en contiennent deux ou plusieurs. Chaque élément est désigné par un **symbole**. Par exemple sodium s'écrit Na et chlore Cl. **La formule** du sel, qui est fait de sodium et de chlore, sera donc Na Cl.
Les formules des minéraux qui contiennent de nombreux éléments sont très compliquées. Elles ne figurent pas dans ce livre mais vous les trouverez dans les ouvrages indiqués page 60.
L'intérêt et la valeur des minéraux viennent surtout de leur utilisation. Par exemple, l'amiante qui sert à ignifuger, s'obtient à partir d'un minéral appelé serpentine ; quant à la mine de nos crayons, c'est en réalité du graphite mélangé à de l'argile.

Comment reconnaître les minéraux

1. Forme

On trouve souvent les minéraux en **masse informe**. On dit qu'ils sont massifs. Mais ils peuvent aussi se présenter sous des formes bien particulières qui facilitent leur identification. Quand les éléments qui composent le minéral s'assemblent en couches sur les surfaces extérieures du minéral, on dit qu'il se « **développe** ». D'habitude, les minéraux se développent dans l'espace laissé libre par les autres minéraux autour d'eux. Mais si un minéral peut se développer sans contrainte, au fond de la mer par exemple, ou dans une cavité, il se présentera alors sous une belle forme régulière aux surfaces planes. Ces formes sont appelées **cristaux.** Chaque minéral cristallise toujours selon sa propre gamme de formes.

Regardez, page 56, quelques unes des formes typiques de cristaux.

La forme cristalline n'est pas la seule. L'hématite par exemple, forme souvent des masses lisses et arrondies à l'aspect d'un rognon. D'autres, comme la smithsonite, recouvrent d'une croûte d'autres roches ou minéraux. Quant à la pyrite, on peut parfois la trouver en blocs arrondis et lisses appelés nodules.

Si vous trouvez un minéral aux surfaces parfaitement planes, il s'agit probablement d'un cristal. Cependant, quand on les tape, certains minéraux se cassent proprement en donnant des morceaux aux surfaces lisses qui ressemblent à des cristaux.

Ces coupures nettes s'appellent des **clivages** et chaque minéral tend à se cliver plus facilement dans certaines directions que dans d'autres, selon des plans de clivage. (Vous pouvez en voir quelques-uns page 57).

En associant la forme du cristal avec le plan de clivage, on peut souvent identifier un minéral.

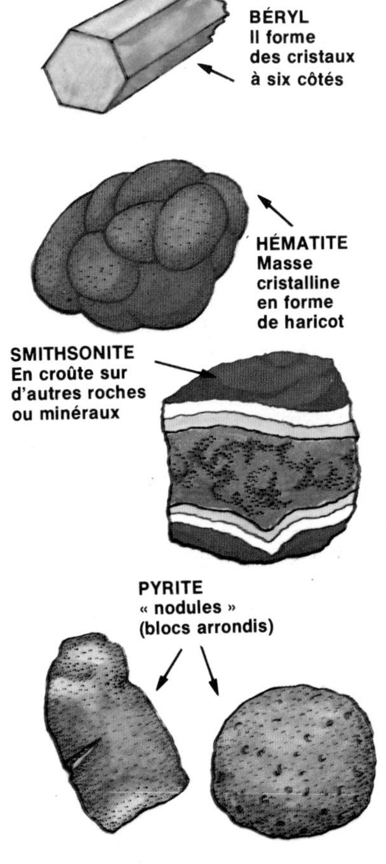

2. Couleur et poussière

Rares sont les minéraux dont la teinte ne varie pas. Le quartz par exemple, peut être blanc, jaune, rouge, mauve, violet, brun et de bien d'autres couleurs. Seule la couleur de la poussière d'un minéral est constante. La mcilleure façon de l'obtenir est de tracer un trait en frottant le minéral sur l'envers d'un carreau de faïence.

3. Dureté

Les légendes indiquent souvent un degré de dureté compris entre 1 et 10. C'est aussi une autre façon d'identifier un minéral inconnu.

Les minéraux ont des degrés de dureté très différents qu'on estime à l'aide de l'échelle de Mohs. C'est une liste de 10 minéraux classés selon leur dureté, du plus tendre, le talc, au plus dur, le diamant. Si vous frottez l'angle d'un minéral sur un autre et que cela laisse une rayure, vous savez aussitôt que le minéral rayé est le plus tendre.

Il suffit d'utiliser la série de minéraux standards de l'échelle de Mohs (qui coûte une somme modique), pour tester la dureté des minéraux.

Rayez un minéral quelconque avec les minéraux standards en commençant par le plus tendre, jusqu'à ce que vous obteniez une marque. Puis servez-vous de votre minéral pour rayer les autres. Par exemple, si le minéral inconnu peut être rayé par l'apatite mais raye lui-même la fluorine, on dira que sa dureté est de 4 1/2.

Vous pouvez utiliser d'autres objets pour établir votre barème. La lame d'un canif a une dureté de 5 1/2. Votre ongle a une dureté de 2 1/2 environ, il raye donc le talc et le gypse. Seuls les minéraux de dureté supérieure à 6 rayent le verre.

Or et Argent

Le mélange d'eau et de graviers aurifères est brassé dans un récipient en étain. L'or, qui est lourd, se dépose au fond

◂ Or ○

Se trouve d'ordinaire sous forme de minuscules grains jaune foncé ou en masses appelées pépites. Se rencontre dans les roches sédimentaires et magmatiques. On peut aussi l'extraire des sables et graviers aurifères des rivières, « à la batée » (voir dessin).
Dureté 2 1/2-3, donc plus tendre que la pyrite ou la chalcopyrite (« l'or du fou »). Poussière jaune d'or. Utilisé en joaillerie, pour certaines pièces de monnaie et en alliage avec l'argent dans les contacts électriques. Parce que l'or est rare, il a longtemps été le symbole du pouvoir et de la richesse.

Argent ▸ ○

Comme l'or, l'argent est un des quelques métaux que l'on peut trouver à l'état pur. Il est très malléable et il se forge donc très facilement. L'argent se présente sous forme de fils ou de petits grains. Assez rare, on le rencontre d'ordinaire dans les roches magmatiques. Couleur blanc argenté qui vire rapidement au noir. Dureté 2 1/2-3. On utilise l'argent surtout dans la fabrication des films photographiques, mais aussi en joaillerie et en orfèvrerie.

Gobelets et plateau d'argent

Graphite et Diamant

◀ Graphite ○

Le graphite est constitué de carbone pur et on le trouve souvent dans certaines variétés de schistes et de calcaires. Il présente des cristaux en lamelles mais il est plus commun sous forme de paillettes. Très tendre, dureté 1-2 ; gras au toucher, il noircit les doigts. Son nom vient d'un mot grec qui veut dire écrire et on l'utilise encore pour écrire. La mine des crayons est un mélange d'argile et de graphite.

C'est le graphite, dans la mine du crayon, qui marque le papier

Diamant ▶ ○

Comme le graphite, le diamant est fait de carbone. On le trouve principalement dans une roche appelée kimberlite. Chauffé à une très forte température, il brûle. C'est le plus dur des minéraux connus. Dureté 10. Il raye même le verre et sa poudre sert dans l'industrie comme abrasif. Les diamants les plus estimés sont incolores et limpides mais on en trouve des jaunes, bruns, rouges ou noirs. Les diamants utilisés en joaillerie sont taillés par un artisan. Un diamant naturel non taillé n'étincelle pas.

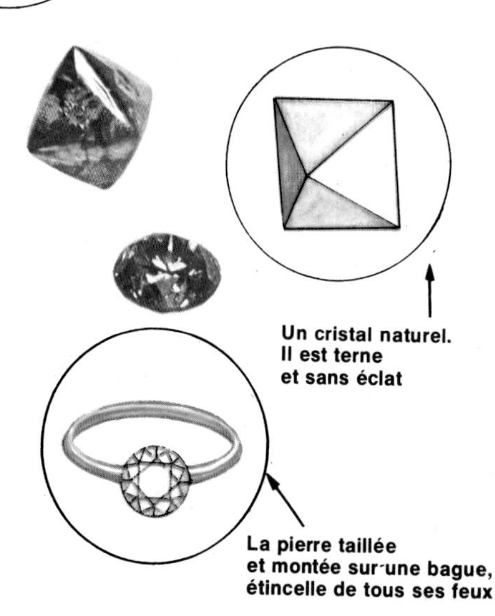

Un cristal naturel. Il est terne et sans éclat

La pierre taillée et montée sur une bague, étincelle de tous ses feux

Soufre et Pyrite

Soufre ▸

Se trouve dans les roches proches des volcans et autour des sources d'eau chaude. Forme de beaux cristaux mais se présente le plus souvent en croûtes sur les roches. Chauffé, il fond. Il brûle facilement mais avec une forte odeur désagréable et suffocante. Jaune brillant, parfois brunâtre. Poussière blanche. Dureté 1 1/2-2 1/2. On l'extrait en injectant de l'eau très chaude, par des tuyaux, pour le faire fondre. La pression de l'air le fait ensuite remonter à la surface. Utilisé pour faire des insecticides, du papier, des allumettes et des explosifs.

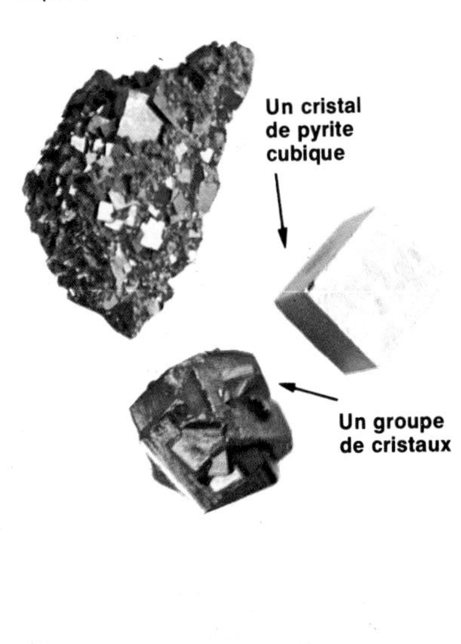

◂ Pyrite

Minéral commun également appelé pyrite de fer. Constitué de fer et de soufre qui sont souvent la dernière étape de la décomposition de la matière animale ou végétale. Il forme de beaux cristaux, surtout cubiques, souvent striés de lignes parallèles sur leurs faces. On le trouve aussi en nodules dans des roches comme le schiste ou la craie. Couleur jaune cuivre pâle. Poussière noir verdâtre. Dureté 6-6 1/2. Plus dur que l'or et d'un jaune plus pâle. Il se casse en arêtes aiguës et en faisant des étincelles.

Chalcopyrite et Galène

Chalcopyrite ▸ ○

Également appelée pyrite de cuivre. Faite de cuivre, de fer et de soufre. Forme des masses irrégulières et parfois des cristaux. Couleur jaune bronze, mais qui ternit, donnant des surfaces irisées avec de nombreuses couleurs différentes (un peu comme de l'huile dans l'eau). Poussière noir verdâtre. Dureté 3 1/2-4. On la rencontre dans de nombreuses roches magmatiques ou métamorphiques. Plus foncée, moins brillante et plus tendre que la pyrite. Plus dure que l'or. Appelée « l'or du fou ».

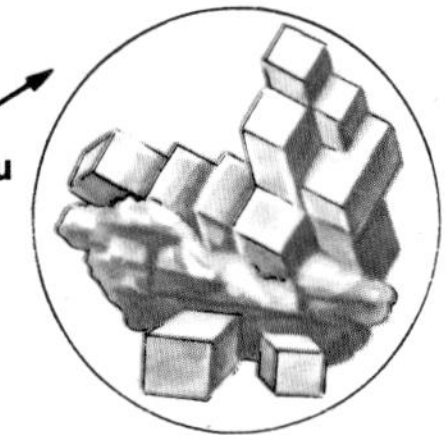

Un coup de marteau brise la galène en petits cubes

◂ Galène ○

Se compose de plomb et de soufre. Se forme le plus souvent en cristaux cubiques qui se brisent facilement en petits cubes (voir figure). On la trouve dans des roches sédimentaires, mais surtout en masse dans du calcaire. Poussière et couleur gris-noir, mais quand elle vient juste d'être cassée, possède un éclat gris argent. Très lourde. Dureté 2 1/2. La galène est le principal minerai de plomb. Le plomb est utilisé en soudure et peinture et autrefois pour les tuyauteries.

Sphalérite et Arsénopyrite

◀ Sphalérite ○

Également connue sous le nom de blende de zinc. Son nom vient du mot grec signifiant trompeur. On la confond facilement avec d'autres minéraux. Poussière marron à jaune clair ou blanc. La couleur varie du jaune au marron ou noir. Quelquefois transparente. Dureté 3 1/2-4. La sphalérite accompagne souvent la galène. Elle se présente en masse dans une roche calcaire ou bien en filon. Elle fournit la plupart du zinc qui est largement utilisé dans l'industrie.

Arsénopyrite ▶ ○

Porte également le curieux nom de mispickel. Composée de fer, d'arsenic et de soufre. Elle se cristallise bien, souvent avec des stries parallèles le long des faces. Argent à gris-blanc, elle peut avoir un éclat brun terne. La poussière est gris-noir foncé avec un éclat métallique comme la lame d'un couteau. Dureté 5 1/2-6. On la trouve souvent en veines avec de l'or et du quartz. Quand on la frappe, elle a un peu l'odeur de l'ail.

Magnétite et Hématite

◀ Magnétite ○

Se compose de fer et d'oxygène. Ses cristaux ont la même forme que le cristal de diamant naturel de la page 8. Couleur et poussière noires. Dureté 5 1/2-6 1/2. Extrêmement magnétique, elle se laissera prendre par un bon aimant. Si vous l'approchez d'une boussole, elle fait tourner l'aiguille. La magnétite était autrefois utilisée comme boussole elle-même. Un long et fin morceau, appelé pierre d'aimant, accroché librement sur un fil, s'orientera Nord-Sud, au repos.

Une pierre d'aimant. Le magnétisme était déjà connu en Chine il y a 3 000 ans

Hématite ▶ ○

Ou « heamatite », hématite brune. Elle prend souvent la forme d'un rognon ou d'un haricot. Elle peut être gris métallique à noir, mais aussi souvent rouge terne ou vif. Poussière rouge. Son nom vient du mot grec signifiant sang.
L'hématite est la plus importante source de fer. On l'utilise également comme pierre à polir.
Se trouve en quantité dans les roches sédimentaires. C'est elle qui rougit de nombreuses roches.

Corindon, Saphir, Rubis

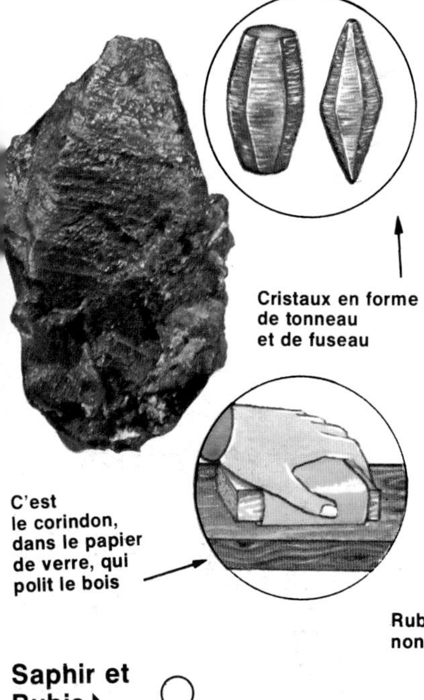

◂ Corindon ○

Se compose d'aluminium et d'oxygène. Ses cristaux ont la forme grossière de tonneau ou de fuseau. Jaune, brun ou vert. Les plus beaux sont rouges (rubis) et bleus (saphir). Minéral très dur, le deuxième après le diamant, c'est un bon abrasif. L'émeri, utilisé pour le polissage et l'affûtage, contient beaucoup de corindon. On le trouve dans des roches magmatiques ou métamorphiques comme les schistes et les gneiss.

Saphir et Rubis ▸ ○

Ce sont des variétés de corindon. Le saphir est d'un beau bleu transparent. Le rubis va du rose au rouge sang ; transparent lui aussi. Avec le diamant et l'émeraude, ce sont les pierres les plus précieuses. Éclairés par une lumière vive, le saphir et le rubis étoilés montrent une étoile lumineuse à six branches. Les plus belles espèces viennent de Burma et de Sri-Lanka. (Sert en horlogerie.)

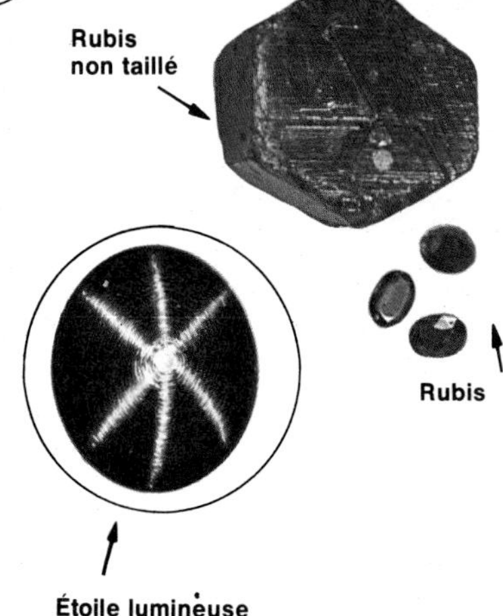

Goethite et Pyrolusite

◀ Goethite ○

Forme souvent des masses globulaires ou en forme de boudin. Les cristaux sont rares. Le plus souvent marron très foncé mais parfois marron-jaune. Poussière jaune-brun. Dureté 5-5 1/2. La goethite se forme par l'effet de l'eau sur des minéraux tels que la magnétite ou la pyrite. On dit que c'est un minéral secondaire parce qu'elle vient presque toujours de l'altération d'autres minéraux. On l'exploite quelquefois pour le fer qu'elle contient.
Son nom vient du poète allemand, Goethe, qui collectionnait les minéraux.

← Autrefois, on a souvent confondu ces formes en feuilles de fougère avec des fossiles

Pyrolusite ▶ ○

Composée de manganèse et d'oxygène. Ses cristaux se disposent en feuilles de fougère dans les roches sédimentaires. Elle se présente aussi en masses de cristaux rayonnantes. Cristallisée, sa dureté est 6-6 1/2, en masse, seulement de 1 à 2. Couleur et poussière noires. On trouve des nodules au fond de la mer qui pourraient être ramassés pour l'industrie dans le futur. Ils contiennent des métaux utiles comme le cuivre, le nickel et le manganèse.

Halite et Fluorine

◂ Halite ○
Appelée aussi sel gemme. Provient de l'évaporation de l'eau de mer, il y a bien longtemps. On la trouve dans les roches sédimentaires en couches de plusieurs centaines de mètres d'épaisseur bien souvent. Pour extraire le sel gemme, on injecte de l'eau dans la mine, pour le dissoudre. On pompe cette eau salée pour la remonter en surface et la faire évaporer. Normalement massif, le sel gemme contient parfois des cristaux simples, cubiques. Poussière blanche. Dureté 2 1/2. Soit transparent, soit incoloré. Souvent taché de brun ou de jaune.

e sel de table
st le même sel
ue l'halite

Fluorine ▸ ○
Également appelée spath fluor. Forme souvent de gros cristaux cubiques. Présente un large éventail de couleurs : bleu, violet, vert et jaune, plus rarement blanc ou rose. Souvent transparente. Poussière blanche. Dureté 4. Commune dans les filons de minéraux. La fluorine brille intensément sous ultraviolet. C'est le phénomène de fluorescence. On l'emploie dans l'industrie chimique, la métallurgie du fer et en verrerie.

Calcite

La calcite se dissout dans de l'acide chlorhydrique dilué avec effervescence. Ne faites cette expérience qu'avec un professeur

Dédoublement de l'image à travers un cristal transparent

La calcite se casse en rhomboèdre comme celui-ci

▲ Calcite ○

Elle contient du carbone, du calcium et de l'oxygène. De tous les minéraux c'est celui dont les cristaux prennent les formes les plus diverses. Brisée, elle donne toujours un prisme à six faces appelé rhomboèdre. Si vous regardez à travers un rhomboèdre transparent placé sur une feuille de papier écrite, vous distinguez deux écritures. La calcite est généralement blanche mais aussi grise, verte, jaune, rouge ou bleue. Poussière blanche. Dureté 3. Elle se dissout avec effervescence dans de l'acide chlorhydrique fortement dilué. L'eau chargée en gaz carbonique la dissout également mais elle peut se reformer en couche à nouveau, autour d'une source par exemple. C'est elle qui produit le tartre dans les bouilloires quand l'eau du robinet est « dure ». Le calcaire et le marbre contiennent surtout de la calcite. Les stalactites et les stalagmites se forment quand l'eau contenant de la calcite tombe des plafonds des grottes dans les régions calcaires. Des millions de tonnes de calcaire sont extraites chaque année.

Malachite et Smithsonite

Un morceau de malachite polie. Remarquez les motifs en rubans sinueux

◀ Malachite ○

C'est un carbonate de cuivre. Elle cristallise rarement. On la trouve habituellement en masses arrondies ou ressemblant à des grappes de raisin. Sa couleur est d'un vert brillant et la poussière vert clair. Souvent en bandes sinueuses plus ou moins circulaires. Dureté 3 1/2-4. Soluble avec effervescence dans de l'acide chlorhydrique. C'est un minéral commun dans les minerais de cuivre, surtout ceux des zones calcaires. Elle est souvent polie et employée en joaillerie.

Smithsonite ▶ ○

C'est un carbonate de zinc. Se forme habituellement en masses globulaires et en croûtes qui recouvrent les minéraux et les roches. Les couches régulières indiquent comment le minéral s'est déposé. Il dispose d'une grande variété de couleurs : blanc, gris, vert, bleu, jaune et marron. Poussière blanche. Dureté 4-4 1/2. On la trouve dans les minerais de zinc. Se dissout avec effervescence dans des acides chauds (ne jamais tenter cette expérience sans un professeur).

Barytine et Gypse

◂ Barytine ○

Les beaux cristaux sont relativement fréquents. Ils tendent vers le blanc mais peuvent être brunâtres ou rougeâtres. Poussière blanche. Roche souvent vitreuse et transparente. On la trouve en filons, et parfois dans les fentes et cavités des roches calcaires. Dureté 2 1/2-3 1/2. Elle contient du baryum et c'est ce qui donne la couleur vert clair des fusées et feux d'artifice. On l'emploie aussi pour faire de très lourds limons que l'on injecte dans les forages.

Gypse ▸ ○

Minéral commun qui forme quelquefois des cristaux clairs appelés sélénite. Il forme aussi des amas globulaires de fibres parallèles ou spath satiné. Les fibres traversent souvent des petites veines. Incolore ou blanc, mais plutôt jaunâtre quand il est massif. Dureté 2 seulement. On le raye donc facilement avec l'ongle. Poussière blanche. Il s'accumule dans les roches sédimentaires, en couches ou en filons. Le gypse est très exploité et utilisé pour le plâtre, le ciment, les papiers et la peinture. L'albâtre est un gypse finement grenu employé pour la sculpture.

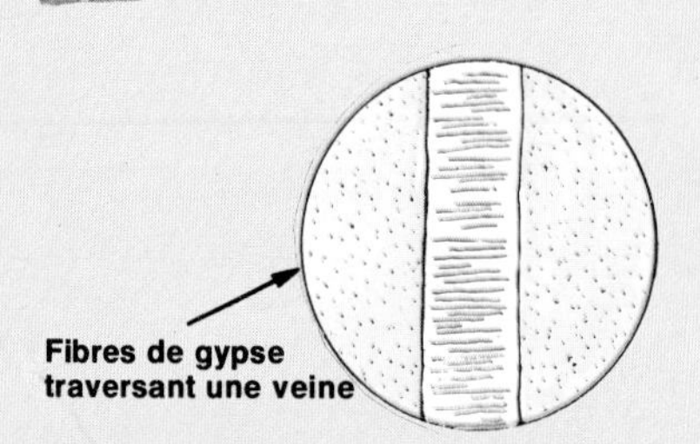

Apatite et Turquoise

Apatite ▸ ○
Constituée surtout de calcium et de phosphore. Peut être blanche, grise, verdâtre ou bleuâtre. Poussière blanche. Dureté 5. Se trouve dans la plupart des roches magmatiques, telles que le granite, mais en petites quantités seulement. Présente également dans quelques roches métamorphiques. La roche sédimentaire appelée roche à phosphate est de l'apatite presque pure. On l'exploite pour les engrais. Les ossements fossiles sont presque entièrement constitués d'apatite, tout comme vos dents.

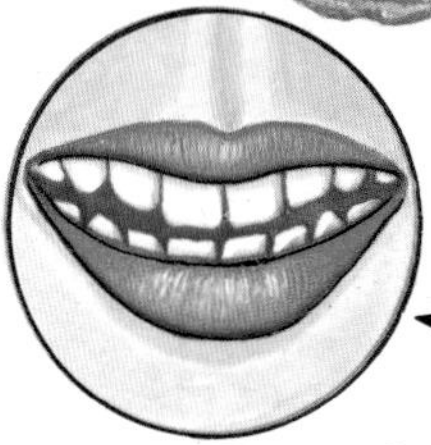

Les dents sont faites surtout d'apatite

◂ Turquoise ○
Composée de cuivre, alumine et phosphore. C'est le cuivre qui lui donne sa couleur bleu clair à vert pomme. Dureté 5 à 6. Poussière blanche à vert pâle. Les cristaux sont vraiment rares. La turquoise se forme habituellement en masse, en petites veines et en croûtes. On la trouve dans les régions sèches et chaudes. La turquoise d'un bleu délicat a la valeur d'une pierre semi-précieuse. Elle est extraite en Iran depuis des milliers d'années. De nos jours, on continue à en orner des bagues.

Une turquoise polie

Grenat et Tourmaline

Grenat ▸ ○

Il existe de nombreuses variétés de grenats. Il se compose le plus souvent de calcium, magnésium, aluminium, silicium, oxygène et fer. De couleur variable, surtout rouge sombre et brun rougeâtre. Il forme souvent de beaux cristaux. C'est un minéral commun dans certaines roches métamorphiques, surtout dans les schistes. On l'emploie comme abrasif à cause de sa dureté (7-7 1/2). Il se casse en morceaux anguleux et tranchants. Pour les bijoux, on utilise des grenats de couleur.

Un grenat taillé

Il existe plusieurs formes de cristaux de grenat. En voici une...

◂ Tourmaline ○

Forme de longs cristaux à section triangulaire mais aux côtés légèrement courbes. Des lignes parallèles courent sur toute la longueur. Tend vers le noir, le bleu, le rose, le vert. Un même cristal a parfois deux couleurs différentes. Poussière blanche. Dureté 7 1/2. Les cristaux de tourmaline sont employés pour les mesures de pression car lorsqu'ils sont comprimés, ils libèrent une charge électrique. Les plus transparents, aux plus belles couleurs, sont taillés et polis comme pierres précieuses.

Un cristal de tourmaline. Notez la section arrondie et triangulaire et les lignes parallèles dans le sens de la longueur

Olivine et Serpentine

Olivine ▸ ○

Elle se compose de magnésium, de fer, de silicium et d'oxygène. Souvent en masse granuleuse. Rarement en beaux cristaux. Normalement de couleur vert olive ; mais l'olivine riche en magnésium est blanche, riche en fer, noire. La variété comportant du magnésium se trouve dans les roches sédimentaires métamorphisées. L'olivine transparente, d'une belle couleur verte, constitue une jolie pierre précieuse, appelée péridot. Dureté 6 1/2-7. Minéral commun dans les basaltes et les gabbros.

On peut saisir les fibres d'asbeste à la main

◂ Serpentine ○

On la trouve soit en morceaux irréguliers, soit en paquets de fibres très minces. La plus récente est l'asbeste, appelée aussi amiante. Elle a parfois l'aspect du duvet. Grâce à ses fibres et au fait qu'elle ne craint ni la chaleur ni les produits chimiques, elle est utilisée pour la confection de ciments spéciaux. Habituellement verte, elle peut être grise ou jaune. La couleur est souvent changeante ou bariolée. Apparence visqueuse ou graisseuse. Facile à couper et à graver, elle est parfois employée comme pierre ornementale.

Béryl, Émeraude et Aigue-Marine

◂ Béryl ○

Constitué de silicium, oxygène, aluminium et béryllium. Souvent en forme de longs cristaux à six côtés. Couleur usuelle vert pâle mais aussi blanc et jaune. Poussière blanche, dureté 8. Le béryl transparent et de belle qualité peut être vert sombre ou clair (émeraude), vert bleuâtre (aigue-marine), jaune (héliodore) ou rose (morganite). On a trouvé des cristaux simples pesant jusqu'à cent tonnes. Recherché pour le béryllium ou en tant que pierre précieuse.

Émeraude et Aigue-Marine ▸ ○

Ce sont des variétés de béryl. Les pierres transparentes vert pâle ou foncé sont des émeraudes. Celles qui sont sans défaut sont vraiment rares et précieuses. Les plus fines viennent de Muso en Colombie, où on les trouve dans des cavités de roches calcaires. Le gouvernement colombien limite strictement leur fourniture. La plus belle collection du monde appartient à l'Iran.
L'aigue-marine, « couleur de la mer », est le nom du béryl bleu pâle ou bleu verdâtre. Plaisante, elle n'a pas le prix de l'émeraude.

Une émerau taillée

Un cristal brut naturel d'aigue-marine

Une émeraude taillée

Augite et Hornblende

Augite ▸ ○

Composée surtout de calcium, magnésium, aluminium, fer et silicium. Elle forme des cristaux grossiers à huit côtés. Le clivage se fait suivant deux directions à angle droit (voir figure). Couleur noir à vert foncé. Dureté 5 1/2-6 1/2. L'augite se trouve dans tous les basaltes et gabbros et aussi dans d'autres roches magmatiques. Les laves et tufs volcaniques donnent quelquefois d'assez beaux cristaux bien taillés.

Plan de clivage de l'augite vu au microscope

◂ Hornblende 

Constituée d'une variété d'éléments comportant du sodium, calcium, magnésium, silicium, aluminium, oxygène et fer. Elle forme des cristaux soit grossiers soit longs à six faces. Le clivage se fait suivant deux directions faisant des angles de 120° et 60° environ (voir figure). Comparez avec l'augite. La couleur varie du vert au noir. Dureté 5 à 6. Présente dans de nombreuses roches magmatiques et métamorphiques. C'est le principal constituant de l'amphibolite (page 48).

Cristal de hornblende à deux plans de clivage vu au microscope

Mica et Talc

Mica ▸ ○

Deux espèces principales : la muscovite blanche et argentée ; la biotite noire ou marron et brillante. Elle forme des « livres » de très fines feuilles ou lamelles. Chaque feuille séparée est transparente bien que marron. Dureté 2-3. Les deux espèces sont courantes dans les granites, les pegmatites et les schistes. La muscovite est très utilisée dans l'industrie électrique.

◂ Talc ○

Se compose de magnésium, silicium, oxygène et hydrogène. Il forme des amas souvent en couches. Habituellement vert pâle mais parfois blanc ou gris. C'est le minéral le plus tendre (1) de l'échelle de Mohs. Facilement rayé par l'ongle. Poussière blanche. Gras et savonneux au toucher. Présent dans quelques roches métamorphiques. Quelques-unes, comme la saponite ou la stéatite, « Craie d'Espagne », ne contiennent que du talc. On l'emploie pour de petites sculptures et dans la porcelaine, le papier, la poudre de talc, la poudre de riz, la peinture, le caoutchouc.

Quartz

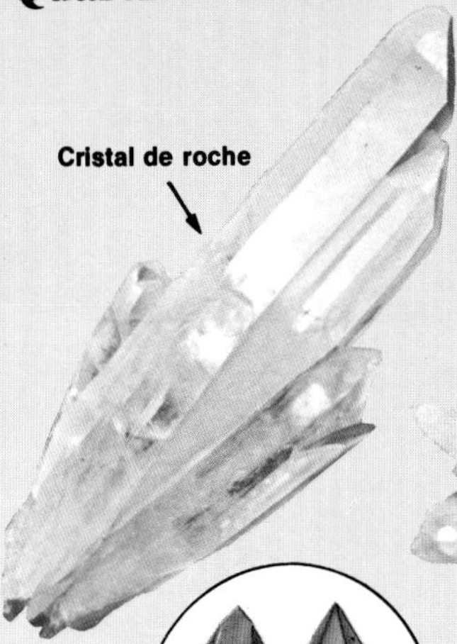

Cristal de roche

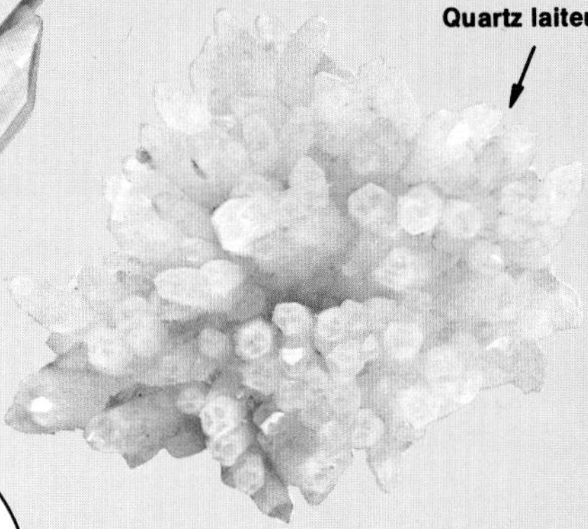

Quartz laiteux

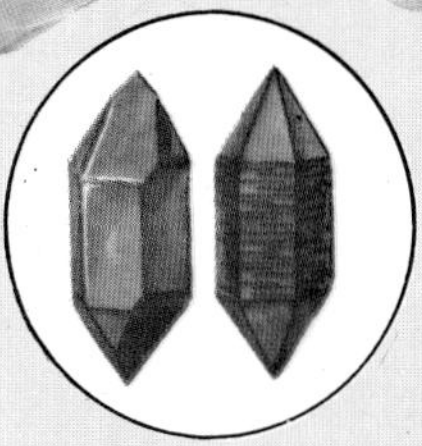

Deux parfaits cristaux de quartz

▲ Quartz ○

Composé de silicium et d'oxygène. Commun dans beaucoup de roches sédimentaires, magmatiques ou métamorphiques. Les grottes abritent souvent de beaux cristaux, à six faces. Le développement de chacune d'elles est très variable. Des stries sont fréquentes sur les faces des côtés. Une surface brisée est unie et cintrée. Couleur des plus variées (voir la suite). Dureté 7. Très employé dans l'industrie électrique, en maçonnerie, en verrerie et comme pierre ornementale et semi-précieuse.

▲ Quartz laiteux et Cristal de roche ○

Le quartz laiteux, blanc opaque est la variété la plus commune. On le trouve en filons traversant des roches magmatiques, métamorphiques et aussi des pegmatites. Clair et transparent, le quartz est appelé cristal de roche. On le trouve en cristaux ou en boules petites et irrégulières. On a pu quelquefois confondre des petits cristaux avec des diamants. On peut le tailler mais on l'emploie plutôt dans les lunettes, les lentilles et les postes de radio.

Quartz

Améthyste ▸ ○

Autre variété de quartz. Sa couleur transparente est rarement uniforme, variant du violet foncé au bleu pâle ou même incolore. On la trouve souvent en beaux cristaux, formant des croûtes ou parfois incluses sur plusieurs mètres dans les roches volcaniques. Pierre d'ornement, populaire et semi-précieuse. Les évêques conservent le traditionnel anneau d'améthyste. Une vieille croyance veut que celui qui la porte soit protégé de l'ivresse.

Anneau d'améthyste épiscopal

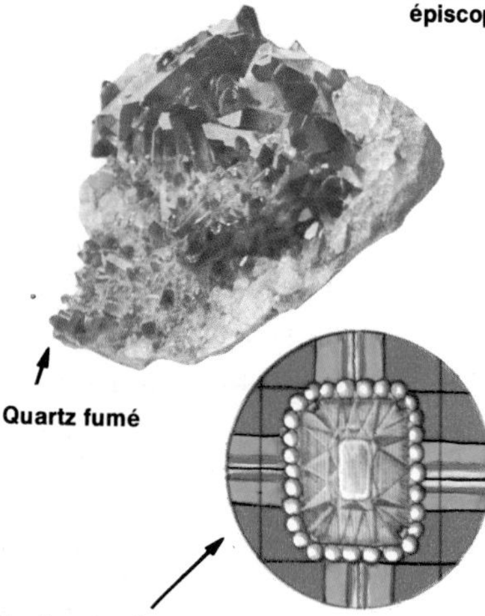

Quartz fumé

Une broche écossaise sertie d'une pierre de quartz fumé

◂ Quartz fumé et Citrine

Le quartz fumé est transparent à semi-transparent, marron-gris ou presque noir. Taillé et poli, il est un bijou traditionnel du costume national écossais. La citrine est du quartz jaune et transparent. Taillée, elle ressemble à la topaze et elle est souvent vendue comme telle. La citrine utilisée en joaillerie est presque toujours de l'améthyste chauffée jusqu'à ce qu'elle vire au jaune.

Calcédoine

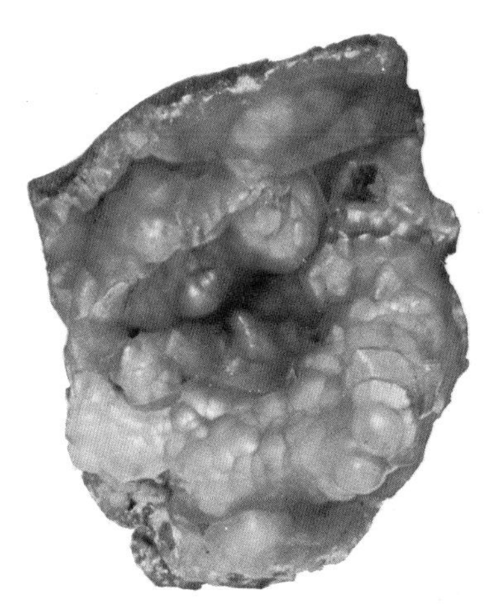

◀ Calcédoine ○
Variété de quartz finement grenue et qui ne forme pas de cristaux. On en trouve de deux sortes : la calcédoine (une seule couleur), l'agate (bandes de couleurs différentes). La calcédoine se forme généralement en masses globulaires mais parfois en stalactites. Couleur variant du blanc au gris mais aussi rouge, marron ou noir. Transparent ou translucide. Commun dans des creux de roches ou de filons. Le silex est un type de calcédoine.

Cornaline, Sardoine, etc. ▶ ○
Il y a plusieurs sortes de calcédoines. Généralement opaques. Translucides quand elles sont pâles comme la cornaline. Sardoine et cornaline sont rouge à marron rougeâtre. Le jaspe, opaque, souvent rouge foncé, marron ou jaune. Couleurs nuancées par les taches ou les bandes d'autres teintes. La chrysoprase est vert pomme. L'héliotrope, vert tacheté de rouge. Toutes les calcédoines sont polies et utilisées en bijouterie.

Une cornaline polie

Agate et Opale

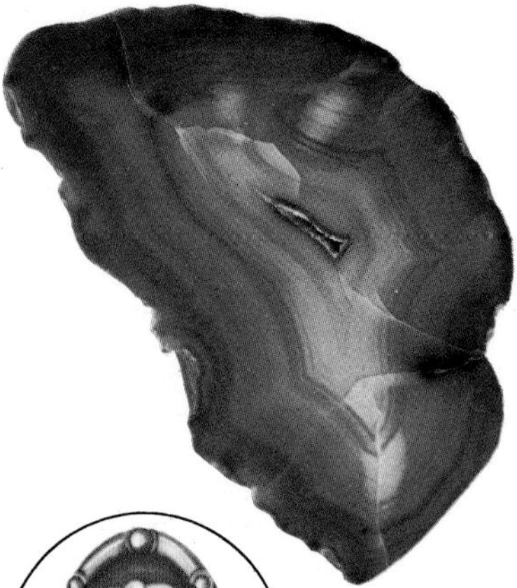

◀ Agate ○

(du nom d'une rivière de Sicile). L'agate est une calcédoine à bandes colorées. La plupart se présentent en masses globuleuses allant de la taille d'une bille à celle d'un ballon. On trouve parfois du cristal de roche au centre. La couleur des bandes varie du blanc laiteux au vert, marron, rouge et noir. On vend parfois de l'agate artificiellement colorée. Si les bandes sont droites, ce sont des onyx que l'on utilise pour graver des camées. Taillée et polie, l'agate sert à faire des cendrier, par exemple.

On obtient ce camée à deux tons en gravant l'onyx à deux profondeurs différentes

Opale ▶ ○

Constituée de silicium, d'oxygène et d'eau. Se présente en masse globuleuse ou en petite veine. Blanc laiteux à gris, bleu, vert, rouge, marron, noir. Transparente à translucide. L'opale précieuse a un lumineux jeu de couleurs dans les bleus, les rouges et les jaunes. L'opale de feu est rouge flamboyante. Polie pour la bijouterie. On dit parfois qu'elle porte malheur. Peut-être parce qu'il lui arrive de perdre son eau, de rétrécir et de mourir !

Une opale polie

Feldspaths

◀ Orthose ○
Se cristallise en prismes de 4 à 6 faces. Blanc laiteux à rose pâle. Dureté 6-6 1/2. Courant dans les granites. Si vous examinez un morceau de granite poli — sur la façade d'un immeuble — la plupart des grains blancs ou roses que vous voyez sont des feldspaths et probablement des orthoses. Ces minéraux sont utilisés dans la fabrication du verre, des émaux, de la porcelaine et la poudre à récurer des ménagères. (*La pierre de lune est une orthose à opalescence nacrée.)*

Plagioclase ▶ ○
Les plagioclases donnent des cristaux plats mais sont plus courants en blocs irréguliers ou en masse. Présents dans bon nombre de roches éruptives et dans les pegmatites. Certaines servent à la fabrication de la céramique. Une variété à beaux reflets bleus et verts s'appelle labradorite, du nom de la province canadienne. C'est une pierre d'ornement populaire. On voit des feldspaths similaires sur les façades de beaucoup d'immeubles, plus particulièrement de boutiques.

Que sont les roches ?

Les roches sont constituées de minéraux et le plus souvent d'assemblages de plusieurs minéraux. Le granit par exemple se compose de feldspath, de quartz et quelquefois de mica.
Il y a peu de roches constituées d'un seul minéral. Les plus communes sont les feldspaths, les quartz, les micas, les olivines, les calcites, les pyroxènes et les amphiboles (ces deux dernières sont représentées dans ce livre par l'augite et la hornblende).
Les autres minéraux se présentent rarement en quantité suffisante pour être appelés roches.
Il y a trois sortes de roches : sédimentaires, magmatiques et métamorphiques.

Les roches sédimentaires

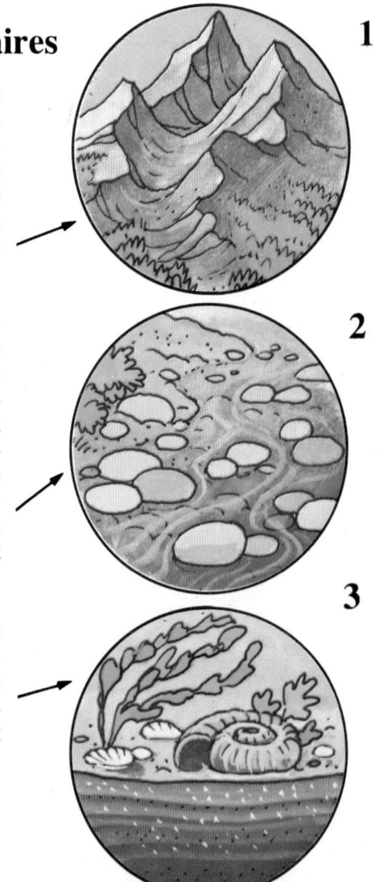

Observons des falaises ou des tranchées d'autoroute. Les roches sédimentaires y apparaissent en couches de différentes couleurs. Les niveaux de ces « strates » oscillent souvent comme des vagues. Formation des roches sédimentaires :

la pluie, le vent, les glaciers entraînent constamment au loin de minuscules débris rocheux rongés sur les surfaces les plus exposées. C'est l'« érosion ». La pluie draine les morceaux de roche jusqu'aux fleuves. A force de rouler et de s'entrechoquer dans l'eau, ils se réduisent en cailloux et sables qui atteignent parfois la mer.

Là, ils rejoignent les ossements et les coquilles des animaux marins et s'amoncellent. Après des millions d'années, chaque couche est tassée par la suivante et durcit petit à petit.

4

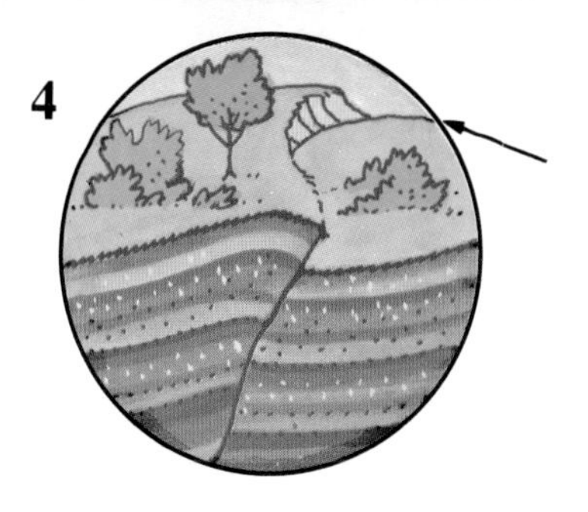

Selon les mouvements de l'écorce terrestre, les roches sédimentaires s'enfoncent ou s'élèvent. Une petite roche isolée, sans strates visibles, sera plus difficile à identifier que de grands affleurements. Seule la présence d'un fossile peut vous garantir son origine sédimentaire.

Les roches magmatiques

Les roches magmatiques se forment de deux façons :
Les roches en fusion, ou **magma,** à l'intérieur de la Terre, se trouvent parfois projetées à la surface de l'écorce terrestre à travers une fissure. C'est ainsi que surgissent les volcans. Le magma qui se répand sur la terre s'appelle de la **lave**. Celle-ci, une fois refroidie et durcie, devient une roche « **d'épanchement** ».
L'autre variété de roches magmatiques se forme lorsque le magma se fraye un chemin à travers les roches et se solidifie avant d'atteindre la surface. Il forme alors des roches dites **intrusives** et dont les coulées s'appellent **intrusions.** On nomme **filons,** des intrusions petites et irrégulières et **batholites** les plus importantes. Il s'agit alors de masses énormes de plusieurs centaines de km et très profondes. Le granit est une roche magmatique commune qui forme souvent des batholites.

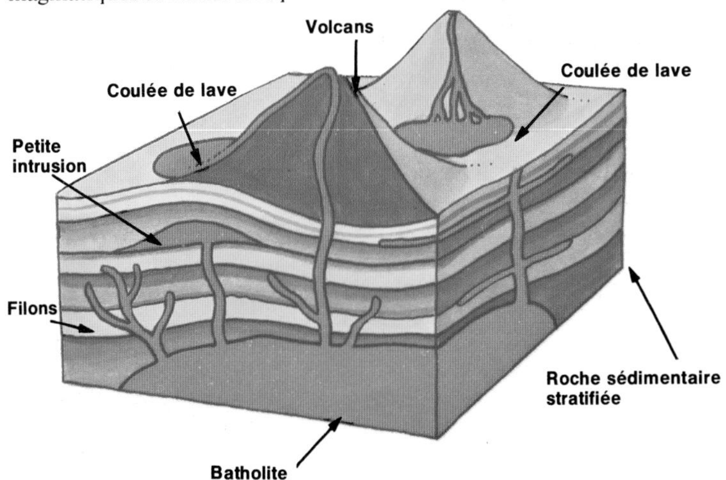

Les roches métamorphiques

Ces roches ont subi une transformation due à la chaleur, soit dans les profondeurs de la Terre, soit au voisinage des intrusions magmatiques. Par exemple, des roches sédimentaires traversées par du magma se transformeront en roches métamorphiques.

Elles peuvent apparaître plus tard à la surface de la Terre, à la faveur d'un mouvement de la croûte. Certaines, comme les schistes et les gneiss, couvrent souvent de très grandes surfaces. Elles se sont formées il y a bien longtemps sous les chaînes montagneuses. L'érosion, en grignotant les montagnes, les a fait apparaître.

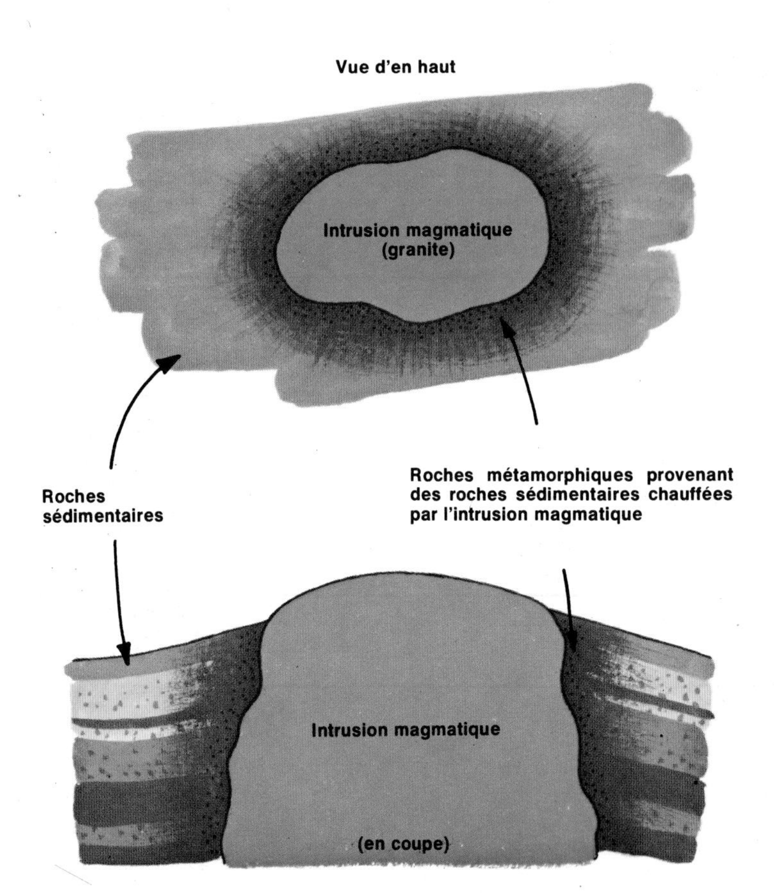

Conglomérat et Brèche

Conglomérat ▸

Roche composée de cailloux ronds et de gros galets soudés par un ciment sableux. Sa couleur est variable car il peut être formé d'une vaste gamme de roches magmatiques, sédimentaires ou métamorphiques.
Couches difficiles à voir.
Fossiles rares.
Les conglomérats proviennent des cailloux et galets rejetés le long des côtes ou des rivières.

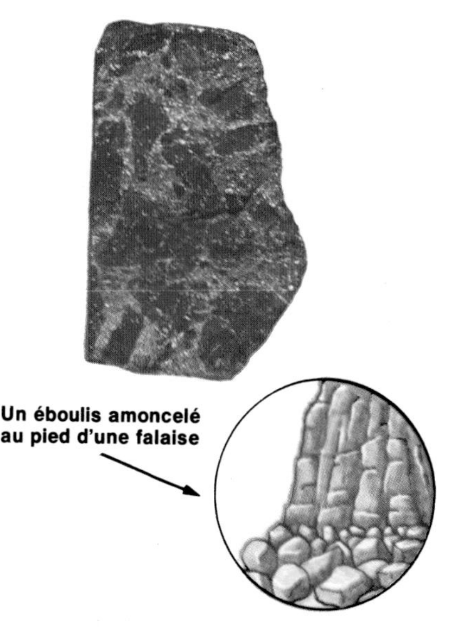

◂ Brèche

Comme le conglomérat, elle est faite de gros blocs, mais anguleux et cimentés par un matériau sableux plus fin. Ils n'ont donc pas été charriés par les eaux qui les aurait arrondis. On rencontre souvent des brèches sous forme d'éboulis le long des côtes. La taille des blocs varie du caillou au gros galet. Ils proviennent indifféremment des roches sédimentaires, magmatiques ou métamorphiques. Les strates sont difficiles à voir. Couleur variable. Fossiles rares.
Le poudingue est une roche voisine de la brèche.

Sables et Grès

▲Grès ○

Fait de grains de sable cimentés par de la silice ou de la calcite. Ces grains sont souvent du quartz mais aussi du feldspath ou d'autres minéraux. Lorsqu'ils sont très anguleux, plutôt que lisses et ronds, on parle de grès dur. Couleur rouge ou jaune, verdâtre ou blanche. Les strates sont peu apparentes. Des couches de fines paillettes de mica s'immiscent parfois dans les grès qui se clivent alors facilement en dalles.
Un grès présente parfois des rides comme celles d'une plage de sable. Ceci indique l'origine marine de ce grès. La plupart des dépôts de sable se trouvent dans les mers où les ont charriés les rivières. D'autres sables sont accumulés dans les déserts par les vents. Ceux-là sont souvent rouges. On utilise les grès dans la construction. Les plus purs entrent dans la composition du verre.

Limons, Argiles, Schistes argileux

Limons ▸

Il s'agit de limon compact, en plaques. C'est un sédiment plus fin que le sable mais plus grossier que la boue. On y distingue des grains de feldspath ou de quartz ou le scintillement de paillettes de mica. Le limon apporté par les rivières est à l'origine des limons marins. De gris pâle à gris foncé et parfois jaune ou verdâtre. Il présente parfois des rides ou des empreintes de gouttes de pluie. Les fossiles y sont communs.

Ces traces de gouttes de pluie sont restées imprimées dans le limon quand il s'est durci

◂ Argiles et Schistes argileux

Ils se sont formés dans les grands fonds sous-marins par le durcissement des boues les plus fines. Si la roche présente de nombreuses et fines strates et donc qu'elle se clive facilement, c'est un schiste. Sans strates, absorbant l'eau et sentant la terre mouillée, c'est de l'argile. Souvent gris très foncé, parfois plus clair ou jaunâtre. Ils renferment quelquefois des cristaux de pyrite. Les fossiles sont fréquents et souvent constitués de pyrite.

Roches calcaires

Un mur construit avec des roches calcaires. Remarquez les fossiles

Calcaire coquillier

Quand une goutte d'acide chlorhydrique tombe sur du calcaire, il entre en effervescence

Calcaire fossilifère

▲Roches calcaires ○

On distingue plusieurs variétés. Composées surtout de calcite, elles entrent en effervescence sous l'effet d'un acide. La calcite peut être si fine que la roche se brise comme de la porcelaine. Ou alors elle forme des cristaux qui dépassent parfois un centimètre. On trouve de beaux cristaux de calcite dans les filons qui traversent souvent les roches calcaires. Les plus gros sont souvent fossiles.
De nombreux calcaires renferment des fossiles tels que des lamellibranches, des brachiopodes, des échinodermes et des coraux. Les calcaires peuvent être des récifs de coraux fossilés. D'autres sont formés presque entièrement de carapaces et de squelettes d'animaux marins.
Les calcaires sont souvent stratifiés mais ce n'est pas toujours évident. D'un blanc grisâtre mais aussi noir, gris foncé ou même rougeâtre, ce sont des roches sédimentaires assez communes.

Craie et Calcaire oolithique

Craie ▸ ○

Comme la plupart des calcaires, la craie se compose de calcite. D'un grain très fin, elle est souvent poreuse, c'est-à-dire qu'elle absorbe les liquides. En général, d'un blanc pur mais parfois tacheté de marron ou de jaune. On ne distingue pas facilement les strates sur une petite échelle. Constituée de squelettes de minuscules animaux marins. On y trouve souvent des fossiles comme des oursins mais aussi des nodules de silex et de pyrite. Sa pureté témoigne de celle des mers dans lesquelles elle s'est formée.

◂ Calcaire oolithique ○

Ce calcaire est fait de petites sphères appelées oolithes (des mots pierre et œuf en grec), d'environ un millimètre de diamètre. Parfois mêlé de grains de quartz, de débris de coquilles ou d'autres fossiles. Le plus souvent jaune ou blanc mais aussi marron ou rouge. Stratifié. L'oolithe se forme à partir d'un grain de sable balloté par les courants marins et que la calcite, dissoute dans l'eau, enrobe peu à peu. Elle sert de pierre de construction.

Stalactite, Travertin, Tuf

Stalactites et Stalagmites ▸ ○

Ce sont de longues concrétions qui se forment sur la voûte (stalactites) et sur le sol (stalagmites) des grottes dans les régions calcaires. Elles viennent du calcaire dissous dans l'eau qui s'égoutte lentement du plafond. Blanches. Les stalactites sont souvent de forme conique et pointue. Les stalagmites font plutôt penser à des colonnes. Une coupe transversale montrerait, d'après les anneaux concentriques, comment elles se sont formées couche après couche, un peu à la façon d'un tronc d'arbre.

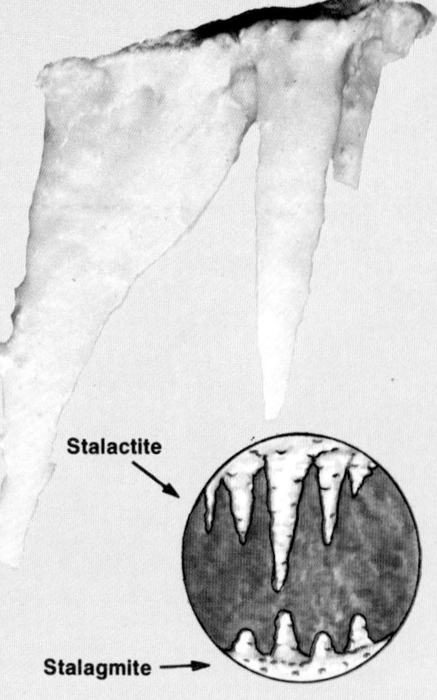

◂ Travertin et Tuf calcaire ○

Ce sont des calcaires plutôt poreux et spongieux. Habituellement en couches mais parfois irrégulières. Creusés de trous et de cavités. De couleur blanche, rougeâtre ou jaune. Le travertin et le tuf calcaire sont tous deux formés de calcite dissoute dans l'eau. Ils entrent donc en effervescence en présence d'un acide. Le tuf s'accumule dans les grottes et près des sources dans les régions calcaires. Le travertin se fixe près des sources d'eau chaude.

Nodules de Silex et de Pyrite

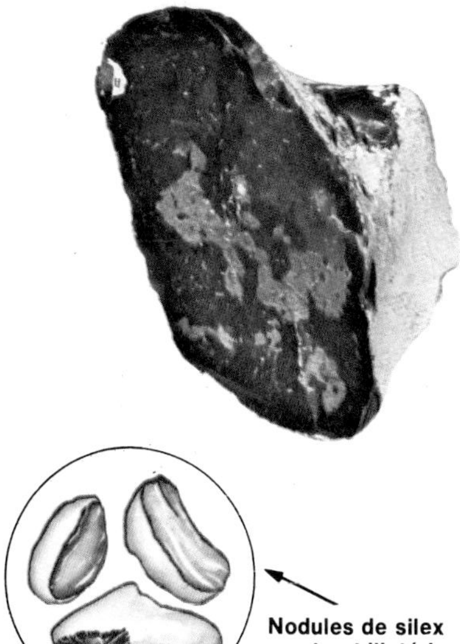

Nodules de silex montrant l'intérieur noir et la couche extérieure blanche

◂ Nodules de silex ○

Faits de calcédoine. Ils forment des blocs arrondis qui se séparent facilement des autres roches qui les entourent. Souvent de la taille d'une pomme de terre mais parfois jusqu'à un mètre de diamètre. En forme de sphère assez grossière ou de rognon. On les rencontre particulièrement dans la craie. Les silex sont souvent blancs à l'extérieur et noirs à l'intérieur. Ils se brisent en laissant une cassure lisse et cintrée aux bords tranchants. Les premiers hommes s'en servaient comme armes, pointes de flèches, hache...

Nodules de pyrite ▸ ○

On les trouve dans les roches sédimentaires comme la craie, les limons et les schistes. Toujours de forme arrondie, sphérique, en boudin ou irrégulière. Brun ou noir à l'extérieur, jaune brillant à l'intérieur. Un nodule est en général fait de minces cristaux de pyrite, irradiant du centre vers l'extérieur, en forme d'étoile. On le confond parfois avec une météorite mais sa couleur jaune à l'intérieur est caractéristique.

Granite et Pegmatite

◀ Granite ○

Roche magmatique à grain moyen. Elle s'est formée très lentement ce qui a permis aux cristaux de croître jusqu'à un ou deux millimètres. Blanc, gris ou rose, souvent marbrée à cause des différents minéraux présents. Les principaux sont le feldspath, le quartz et le mica. Leurs grains sont sensiblement de même taille. Le granite forme de très grandes intrusions jusque sur des centaines de kilomètres. Une fois poli, on l'utilise comme pierre de construction et d'ornement.

Pegmatite ▶ ○

Roche à grain très grossier, incrustée de cristaux de plusieurs centimètres. Ses principaux minéraux sont le feldspath, le quartz et le mica (particulièrement la muscovite) mais il y en a des centaines d'autres comme le béryl, l'apatite et le corindon. La pegmatite est l'une des roches les plus intéressantes à collectionner à cause de la taille des cristaux de ses minéraux. Elle forme des filons qui atteignent quelques centaines de mètres de longueur (souvent moins). On la trouve habituellement près des granites.

Gabbro et Serpentinite

Gabbro ▸ ○

Roche à grain grossier. De couleur sombre, noir, gris foncé ou verdâtre. Souvent mouchetée puisqu'elle contient à la fois des minéraux de teinte claire (feldspath plagioclase) et de teinte foncée (augite et parfois olivine). Texture homogène. Le gabbro a la même origine que le basalte : le magma. Comme il forme des intrusions importantes, il se refroidit lentement ce qui laisse tout leur temps aux cristaux pour se développer.

◂ Serpentinite ○

Composée surtout du minéral serpentine. Souvent tachetée, rayée et veinée avec des fibres éparses et ténues de serpentine. Habituellement vert foncé mais les taches et les rayures peuvent être noires, blanches ou même rouges. La serpentine est un minéral assez tendre. La serpentinite se travaille donc facilement et on en fait des objets tels que des cendriers. On l'emploie couramment comme pierre d'ornement.

Obsidienne et Pierre ponce

◀ Obsidienne

L'obsidienne est un verre naturel formé par le refroidissement rapide du magma. Tellement rapide que les cristaux ont rarement le temps de se développer. Il se forme du verre, qui est en réalité un liquide très épais. Souvent noir, parfois gris. De teinte uniforme, il peut présenter des bandes ou des rayures nuancées. Il se casse en donnant des morceaux aux bords tranchants mais aux surfaces lisses et cintrées. Les premiers hommes en faisaient des outils.

Un éclat d'obsidienne qui montre une cassure lisse de même aspect qu'un coquillage

Pierre ponce ▶

C'est une roche vitreuse pleine de minuscules bulles de gaz. Grâce à elles, la pierre ponce est très légère et flotte sur l'eau. Plutôt grise, parfois jaunâtre. Elle provient du magma ayant dissout des gaz. Quand le magma atteint la surface de la Terre (par un volcan), le gaz apparaît, comme des bulles dans la limonade une fois le bouchon enlevé. Si le magma est alors refroidi très brutalement, il se transforme en verre qui emprisonne les bulles. On l'utilise souvent comme abrasif.

Rhyolite et Basalte

◂ Rhyolite ○

Roche à grain très fin. Elle contient parfois quelques gros cristaux de feldspath ou de quartz. Similaire au granite mais s'est refroidie plus rapidement. On la trouve sous forme de coulées courtes de lave épaisse dans certains volcans ou bien en courtes intrusions. Souvent blanche ou grise, parfois rougeâtre ou noire. Elle peut contenir des sphérulites (billes de très fin feldspath ou quartz qui se développent après le refroidissement). Elles varient de la taille d'un grain de sable à celle d'un ballon.

Basalte ▸ ○

Roche à grain fin à moyen. Avec de beaux cristaux de feldspath plagioclase, d'olivine ou d'augite. Souvent percé de trous en forme d'œufs que la calcite et la calcédoine viennent remplir. Le basalte est noir à gris foncé. Il se présente en intrusions mais aussi en coulées de lave qui peuvent couvrir des centaines de km². Les laves de basalte ont tendance à se briser en prisme à six côtés (orgues basaltiques de Saint-Flour).

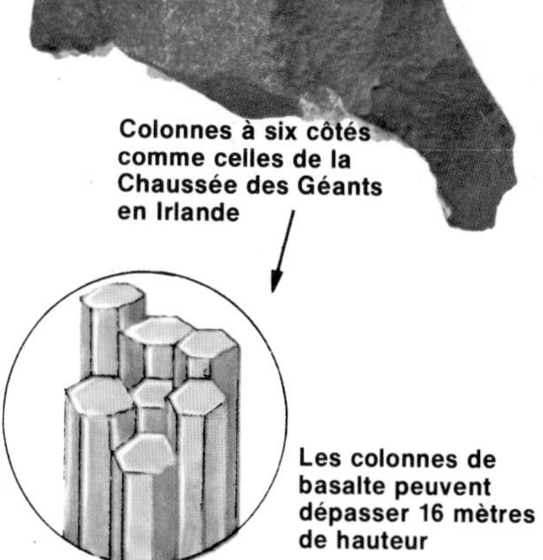

Tuf volcanique et Aggloméré

◂ Tuf volcanique ○

C'est une roche dure composée de petits morceaux de roches volcaniques et de cristaux cimentés ensemble. Il se construit couche par couche à partir des cendres rejetées par des explosions volcaniques successives. Dans les tufs à grain plus grossier, on peut voir des morceaux isolés arrondis mêlés à des cristaux brisés d'augite et de plagioclase. Plus gros, ces morceaux s'appellent des bombes (voir ci-dessous).

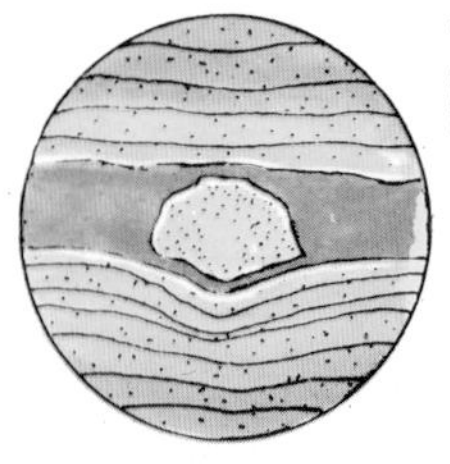

Tuf stratifié avec une bombe incluse

Agglomérat ▸ ○

Se compose de grands morceaux de roches volcaniques comme le basalte vomi par les volcans lors de violentes éruptions. Leur taille va de six centimètres à plusieurs mètres. Ils jaillissent tels quels des volcans ou se forment lorsque des caillots de lave en fusion projetés en l'air se figent. Ces caillots ou bombes volcaniques s'arrondissent en amande avant de durcir.

Formes caractéristiques de bombes volcaniques

Marbre et Quartzite

Marbre ▸ ○
Constitué surtout de calcite. Le marbre est un calcaire métamorphosé, et la première stratification est encore visible. Effervescent sous un acide. Se raye au canif. Souvent blanc mais aussi noir, rouge ou vert ou tacheté. Il peut y avoir des fossiles.
Se forme par le métamorphisme des calcaires près des intrusions magmatiques. Des couches de marbre sont courantes dans les régions à schistes et gneiss. Le marbre sert surtout comme pierre décorative et en sculpture.

◂ Quartzite ○
Composé surtout de grains de quartz avec parfois du feldspath, du mica ou d'autres minéraux. Les quartzites sont des grès métamorphosés.
Grossièrement stratifiés, ils ont une structure homogène aux grains très serrés. Souvent blanc mais pouvant tirer sur le jaune, le gris ou le rouge. On le trouve près des intrusions magmatiques et plus souvent dans les schistes et les gneiss. Contrairement au marbre, le quartzite n'entre pas en effervescence et ne se raye pas au couteau.

Ardoise et Phyllade

Ardoise ▸ ○
Faite de minuscules grains de minéraux tels que le mica, trop petits pour être visibles à l'œil nu. Elle se divise en fines feuilles. La stratification des roches sédimentaires dont provient l'ardoise est encore visible au travers des surfaces clivées. Noire, violacée ou verdâtre. On peut y trouver des fossiles mais déformés par le métamorphisme. L'ardoise est utilisée pour les toitures et comme pierre décorative et de construction.

Beaucoup de toits sont couverts en ardoise

◂ Phyllade ○
Comme les ardoises, les phyllades sont des grès métamorphisés. Plus grossières cependant car elles ont été chauffées et pressées plus longtemps. Les phyllades se clivent en feuillets brillants. Couleur gris argenté à vert. Les phyllades ont tendance à fusionner avec les schistes.

Micaschiste, Micaschiste à grenats

Micaschiste ▸ ○
Composé de mica, le plus souvent biotite ou muscovite, ou des deux à la fois. Présence du quartz et du felspath courante. Gris ou argenté lorsque la muscovite domine, brun ou noir si c'est la biotite. Parce que ces roches ont été pressurisées pendant leur métamorphisme, les micaschistes sont souvent plissés (voir figure). Les schistes sont généralement des sédiments argileux métamorphisés. On les trouve au voisinage d'autres roches métamorphiques comme le micaschiste à grenats et l'amphibolite.

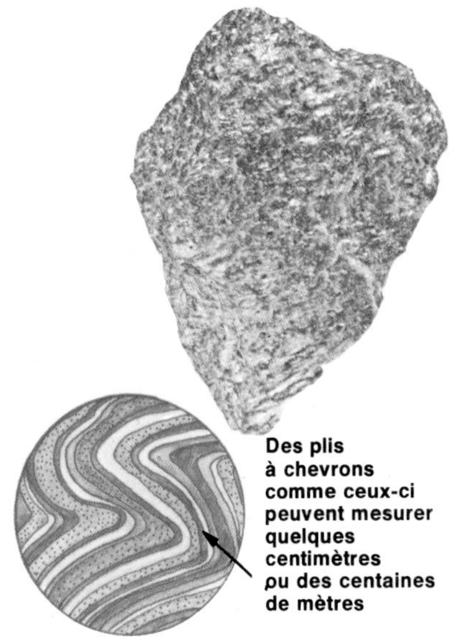

◂ Micaschiste à grenats ○
De même composition que le micaschiste mais avec des grenats difficiles à voir quelquefois mais parfois larges d'un centimètre, arrondis et rouge foncé. Cette roche se clive facilement à cause des micas. Elle est souvent plissotée, tout comme le micaschiste. Se rencontre avec d'autres roches métamorphiques, micaschiste, phyllade et amphibolite.

Amphibolite et Gneiss

◀ Amphibolite ○

Roche à grain moyen à grossier. Composée surtout de hornblende, on y trouve quelquefois du grenat. Comme les cristaux de hornblende sont souvent en lignes parallèles, cette roche a tendance à se casser toujours dans le même sens. Les amphibolites, en général noir à vert foncé, sont souvent rayées de bandes plus claires ou plus sombres. Ce sont pratiquement toujours des roches magmatiques métamorphisées telles que le basalte.

Ces plissements sinueux sont fréquents dans les gneiss

Gneiss ▶ ○

Roche à grain moyen à grossier. Composée surtout de feldspath (blanc ou rose), de mica (biotite ou muscovite) et de quartz. Le feldspath peut parfois y former des cristaux en forme d'œil. Le gneiss se présente en couches claires et foncées en alternance, entrecroisées quelquefois par des filets de gros quartz ou de feldspath. Les gneiss ont subi de très fortes températures qui les ont parfois fait fondre en partie, d'où l'origine des plissements sinueux.

Que sont les fossiles ?

Les fossiles sont les seuls témoins dont nous disposons pour nous faire une idée de ce que la vie pouvait être il y a des millions d'années. Ce sont les vestiges, conservés dans les roches, d'animaux et de plantes disparus.

En général, quand des animaux ou des plantes meurent, ils sont mangés ou se décomposent. Dans le cas des fossiles, le sable ou la boue ont recouvert leurs cadavres immédiatement après leur mort. Préservés, ils vont alors se fossiliser. Ce processus est particulièrement rapide dans la mer.

Les fossiles peuvent être soit la plante ou l'animal conservé, soit son empreinte minéralisée, c'est-à-dire que les parties tendres, décomposées et désintégrées, ont été remplacées par des minéraux. C'est ainsi qu'on trouve des fossiles de traces de pas ou de terriers.

Les fossiles apparaissent dans les roches sédimentaires ou légèrement métamorphisées. Quelques calcaires se composent presque uniquement de fossiles. Le plus souvent, ce sont les parties les plus dures qui se fossilisent comme le squelette et les coquilles des animaux, les branches et les troncs des arbres. On retrouve parfois des parties tendres.

1

A sa mort, le corps de ce dinosaure (1) a été recouvert par du sable et de l'argile (2). La chair s'est lentement décomposée mais le squelette, dur, a subsisté.

Tandis que les couches de sable et d'argile s'amoncellent (3), les couches inférieures durcissent, emprisonnant le squelette.

En certains endroits, des animaux et des plantes ont été particulièrement bien préservés. En Sibérie, la chair de mammouths, diparus depuis très longtemps,

Mammouth laineux

s'est parfaitement conservée pendant des milliers d'années. Le sol, gelé en permanence, avait servi de congélateur.
On trouve souvent des insectes entiers dans de l'ambre qui est la résine fossilisée de certains arbres.

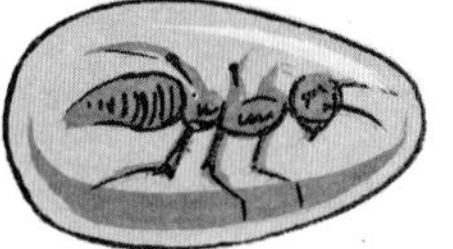
Fourmi fossile dans de l'ambre

Plus vieilles sont les roches, plus les animaux ou plantes fossilisés qu'elles renferment diffèrent de ceux d'aujourd'hui. Les fossiles apportent la preuve de l'existence de nombreuses espèces d'animaux ou de plantes aujourd'hui disparus. Ils indiquent aussi que certaines espèces ne sont apparues que dans un passé relativement récent.
Les premiers fossiles humains ne remontent qu'à quelques millions d'années, alors que d'autres fossiles datent de plus de 600 millions d'années.
Les chercheurs qui étudient les roches sédimentaires les ont subdivisées et nommées en se basant sur les fossiles qu'elles contiennent. (Ci-contre).

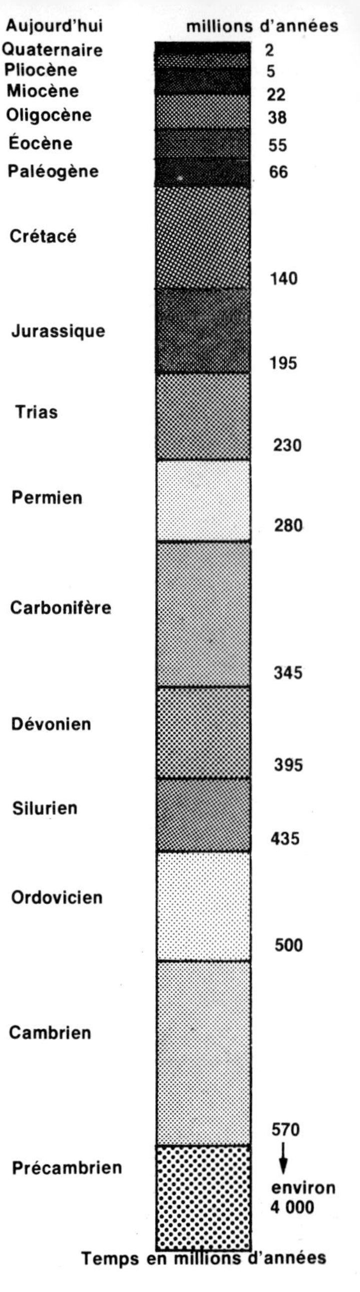

Temps en millions d'années

Plantes fossiles et Coraux

◀ Plantes fossiles ○

On les trouve en général dans des roches sédimentaires à grain fin et surtout dans les schistes ou les roches argileuses. Très communes dans les filons de charbon ou les gisements houillers. Ceux-ci datent du Carbonifère. Le charbon provient de plantes fossilisées. Les plantes fixées dans la houille ne ressemblent pas à celles que nous connaissons. C'est dans les roches plus récentes de l'âge tertiaire que l'on trouve les fossiles de feuilles, de brindilles ou même de fleurs et de fruits, les mieux conservés.

Coraux ▶ ○

Ce sont de simples animaux dont les squelettes se sont calcifiés et souvent fossilisés. Les coraux fossiles peuvent être solitaires ou regroupés en colonies massives ou à plusieurs branches. Un récif est un ensemble formé de nombreuses colonies. On trouve souvent avec les coraux, des fossiles d'animaux qui vivaient sur le récif (comme les lamellibranches, les gastéropodes et les échinodermes).

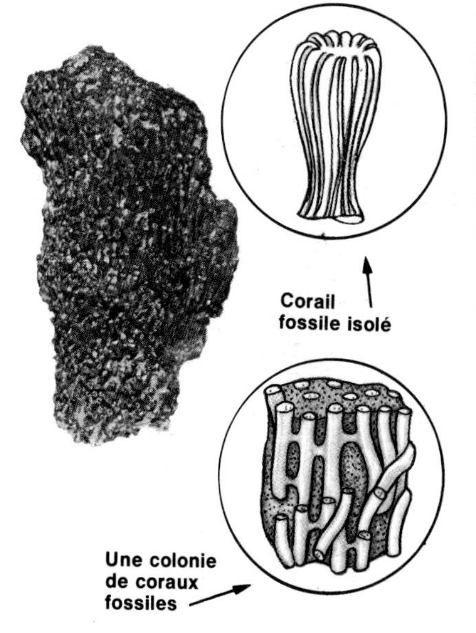

Gastéropodes, Lamellibranches

◂ Gastéropodes ○
Couramment appelés escargots. Ils ont une coquille en spirale courte et émoussée ou bien en forme de cône. Les stries concentriques indiquent les étapes successives de la croissance. D'autres lignes ou décorations les sillonnent dans le sens de la hauteur. La dureté de leur coquille fait que les gastéropodes se fossilisent aisément. On les retrouve dans les pierres calcaires et les schistes argileux qui remontent au Cambrien.

Lamellibranches ▸ ○
Ce sont des animaux à coquilles comme les coques, les moules et les couteaux. Leurs fossiles se retrouvent surtout dans les schistes, argiles et calcaires les plus récents. Un coquillage se compose de deux valves accolées qui sont pratiquement toujours le miroir l'une de l'autre. La partie proche de la charnière des deux valves s'appelle le bec. Souvent striées de lignes de croissance qui suivent son contour. Certaines s'ornent de stries décoratives.

Coupe

Profil

Forme caractéristique de lamellibranche

Brachiopodes, Échinodermes

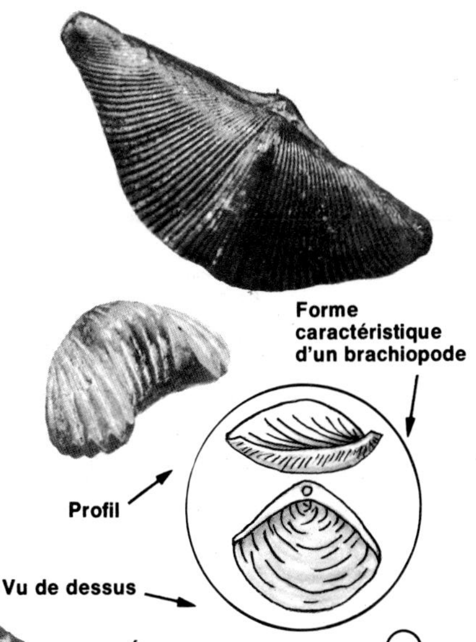

Brachiopodes ▸ ○

Ils possèdent deux valves comme les lamellibranches, mais de taille inégale. Les coquilles sont lisses ou striées de lignes de croissance. Souvent décorées de rides et de rainures qui partent en éventail depuis le bec. Les brachiopodes continuent à vivre dans la mer. Ils se fossilisent aisément. On les retrouve dans les calcaires, argiles et schistes datant surtout de la période du Cambrien ou du Carbonifère.

◂ Échinodermes ○

Ce sont des animaux de forme arrondie ou en cœur, ne dépassant pas dix centimètres de largeur. La coquille est faite de feuillets de calcite souvent recouverts de rangées de protubérances. Si vous ramassez des oursins le long d'une côte rocheuse, vous verrez que des épines sont fixées sur ces bosses. On les retrouve rarement dans les fossiles. Les coquilles d'oursins sont des fossiles très communs de la période du Jurassique à aujourd'hui. La forme en cœur est très répandue dans les craies rocheuses d'Europe.

Un oursin « contemporain ». Remarquez les épines

Ammonites et Bélemnites

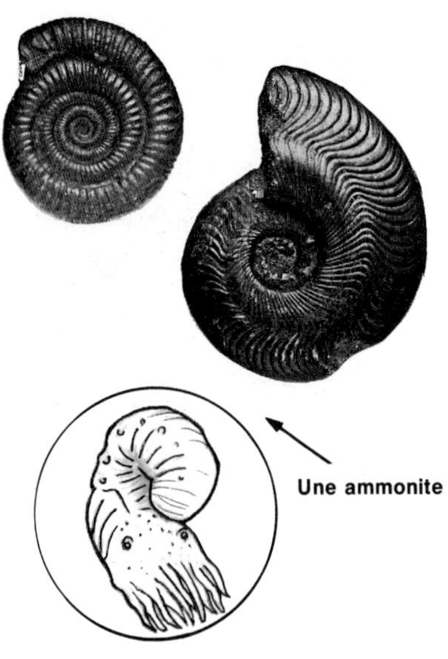

◀ Ammonites ○
Animaux marins maintenant disparus. Les fossiles sont aplatis et circulaires. La coquille en spirale est compartimentée. Lorsque l'animal devenait trop gros, il « déménageait » dans le compartiment suivant qui avait grandi en même temps que lui. La surface de la coquille est gaufrée comme une corne de bélier par les lignes de croissance et de décoration. Les ammonites nagent au sein de la mer ; l'air enfermé dans les compartiments vides leur sert de flotteur. Les roches marines, surtout celles du Crétacé et du Trias sont riches en fossiles.

Bélemnites ▶ ○
Espèce disparue. Vivantes, les bélemnites ressemblaient à des calmars. La partie conservée, le rostre, a la forme d'un cigare pointu. Il tenait à l'animal à la façon d'un os de seiche par une extrémité en forme d'entonnoir. Celle-ci est presque toujours cassée. La cassure révèle quelquefois à l'intérieur des cristaux de calcite ou des lignes de croissance. Certains fossiles ne sont pas plus grands qu'une allumette, d'autres atteignent dix centimètres de longueur.

Trilobites et Dents de poisson

Trilobites ▸ ○
Apparus à l'âge du Cambrien, disparus vers le Permien. Formés d'une tête, d'un thorax et d'une queue. Le thorax, fait de plaques articulées, permettait à certains trilobites de se rouler comme une balle. Leurs pattes leur permettaient de marcher au fond de la mer. Seules les têtes, avec parfois les yeux et les queues, ont été conservées.
Ces fossiles se trouvent surtout dans les vases et les argiles.

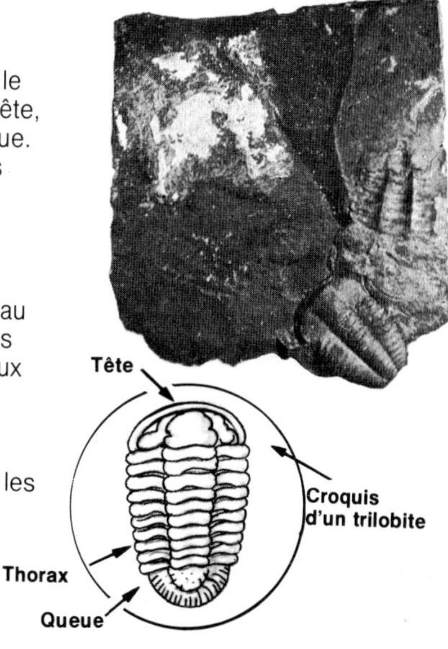

Dent de requin fossilisée

Tête de requin montrant les rangées de dents

◂ Dents de poisson ○
Les squelettes des raies et des requins sont trop tendres pour être fossilisés contrairement aux dents. On en retrouve dans des roches datant du Carbonifère mais elles sont plus fréquentes dans les roches plus jeunes, du Crétacé ou du Tertiaire. Les plus courantes sont pointues, aiguës et triangulaires. Souvent striées. On utilise les dents fossiles, brillantes et bien conservées pour orner des colliers, par exemple.

Pour en savoir plus sur les cristaux...

Les cristaux formés par les minéraux ont en général une forme caractéristique.

Voici une sélection des formes les plus courantes de certains minéraux décrits dans ce livre.

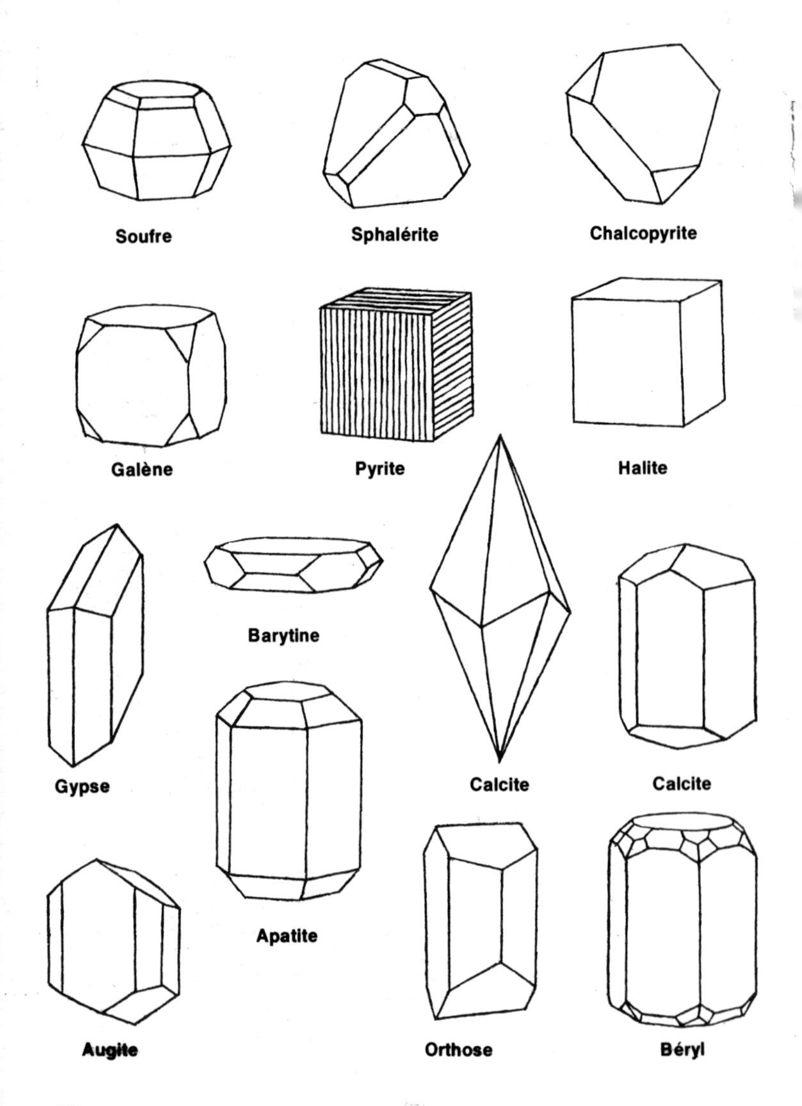

... et leurs plans de clivage

La plupart des minéraux se brisent, ou se clivent, plus facilement dans certains sens que dans d'autres. Les cassures, ou **plans de clivage**, sont planes. Un minéral peut se cliver selon un, deux ou trois axes, ou plus. Le nombre de clivages et d'angles formés est souvent très utile pour identifier un minéral. En voici quelques exemples :

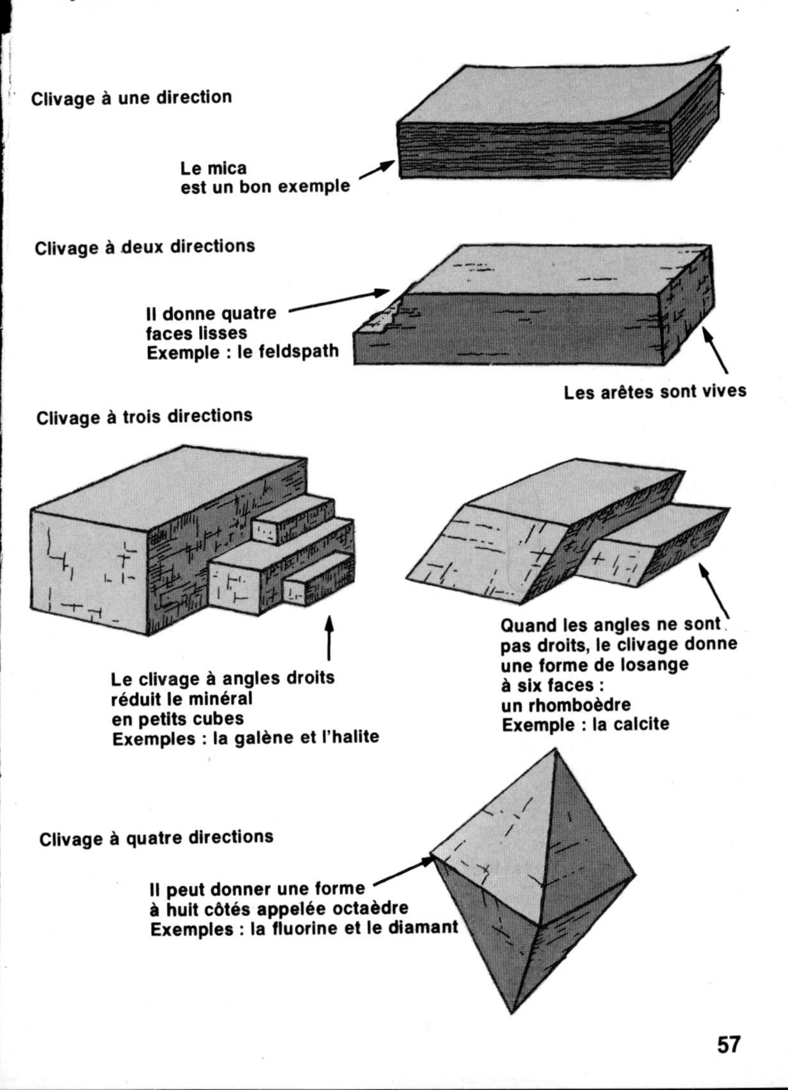

L'équipement du collectionneur

Le collectionneur de roches, minéraux et fossiles, a besoin de deux objets, absolument indispensables : un marteau et des lunettes de protection. On les trouve dans des boutiques spécialisées. Il existe plusieurs tailles de marteaux. La tête est en général carrée d'un côté, et soit en biseau soit en piochon de l'autre. On s'en sert pour dégager une roche ou un minéral.

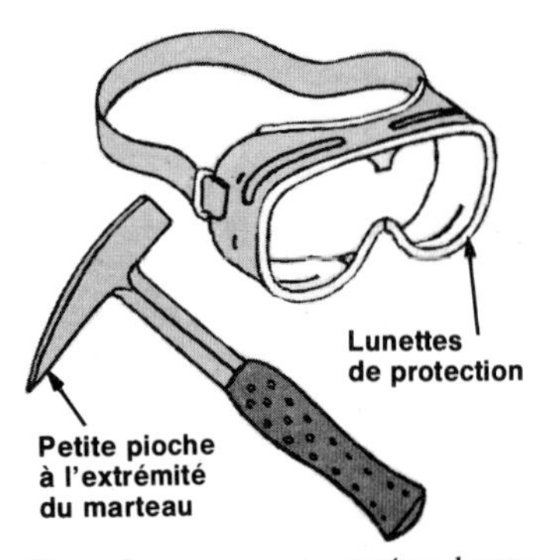

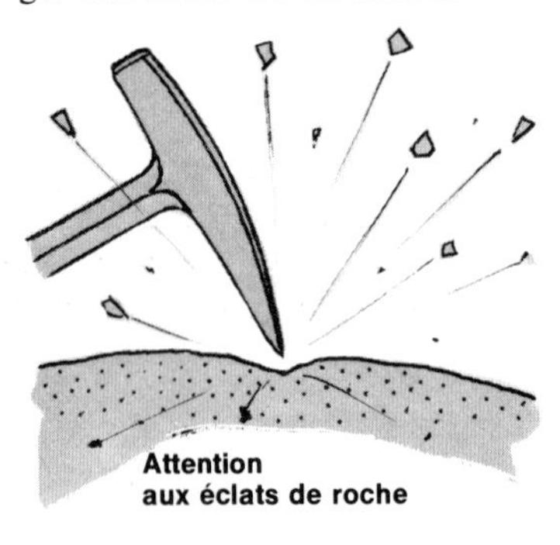

Quand vous avez trouvé un beau spécimen, séparez-le de la roche le plus proprement possible, en faisant bien attention de n'abîmer ni les cristaux, ni les fossiles, ni vos doigts. Les pierres sont dures et peuvent voler en éclats dangereux pour vous et vos voisins. Aussi MANIEZ PRUDEMMENT VOTRE MARTEAU, loin des autres personnes et TOUJOURS avec vos lunettes.

Dès que vous avez ramassé un spécimen, écrivez proprement un chiffre au dos, avec un crayon feutre ou sur une pastille de papier adhésif.

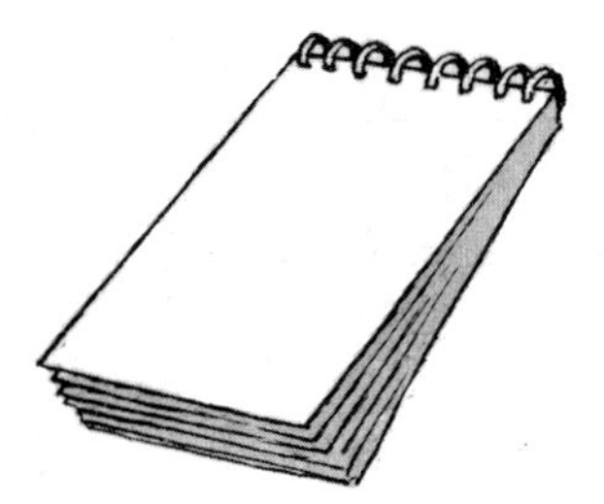

Puis, inscrivez ce chiffre sur un carnet, et en regard, la variété de spécimen que vous avez ramassé et l'endroit exact où vous l'avez trouvé.
Il vous sera peut-être difficile d'identifier sur-le-champ votre trouvaille. Vous y arriverez plus tard, avec l'aide d'un livre.

Comment conserver votre collection

Après avoir bien identifié vos spécimens à la maison, ne les entassez jamais dans un tiroir ou une boîte. Non seulement ils perdront tout intérêt mais de plus ils vont se rayer les uns les autres.

La première chose à faire est d'étiqueter définitivement chaque spécimen en remplaçant l'étiquette provisoire collée dans le champ. Vous écrivez à l'encre de Chine sur du papier blanc que vous collerez ensuite au dos de votre pierre, jamais sur le cristal ou le fossile.

Ensuite vous inscrirez toutes vos remarques à la suite du numéro, sur un cahier. Vous devrez noter le nom de la roche, du minéral ou du fossile trouvé et sa provenance. Si vous l'ignorez, indiquez qui vous l'a donné. Notez également la date. Presque toutes ces précisions figurent déjà dans votre carnet.

117 Pyrite

Nodule arrondi trouvé
au pied de la falaise,
à l'est de
la Pointe-Martin
8 juin 1977

Vous pouvez également noter tout ceci sur une étiquette séparée que vous laissez dans la boîte où vous rangez votre échantillon.

Les plateaux peu profonds sont l'idéal pour conserver vos échantillons. Comme ils coûtent assez cher, vous prendrez des boîtes les plus plates possible. Chaque échantillon, avec son étiquette y sera bien à l'abri.

On trouve dans les magasins spécialisés des éléments pour ranger les collections.

Mais vous pouvez fort bien aménager un vieux placard vous même.

L'organisation d'une collection est très importante. Bien sûr, vous aurez séparé les roches des minéraux et des fossiles.

Ensuite il vous faudra classer chaque groupe dans un ordre logique ; ou du moins l'ordre qui vous conviendra le mieux.

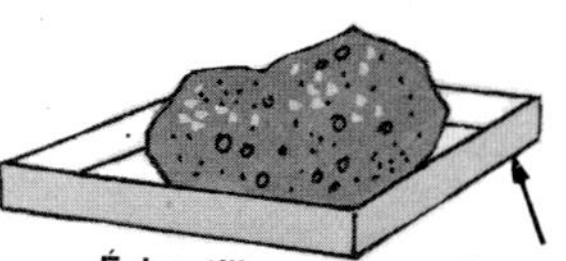

Échantillon sur son plateau

Pour les « mordus »

Il y a deux façons d'apprendre quelque chose sur un sujet qui est tout nouveau pour vous. Soit lire un bon ouvrage, soit discuter avec des personnes qui en connaissent plus long que vous sur la question.
Vous en apprendrez encore plus sur les roches, les minéraux et les fossiles à l'école. La géologie est enseignée au lycée et il y a même quelquefois un club de minéralogie où on vous accueillera. Conférences, recherche des pierres, rencontre avec d'autres clubs et échange de spécimens. Vous y trouverez tout cela et c'est bien la meilleure façon d'apprendre. Les vieux collectionneurs seront heureux de vous faire partager leurs connaissances et leur passion.

Si votre lycée n'a pas de club, renseignez-vous auprès de votre libraire ou d'un musée. Il existe peut-être une association quelque part. Sinon, à vous de vous lancer. Il suffit de quelques amis pour débuter. On se rencontre, on se promène ensemble à la recherche de minéraux, on se prête des livres et on devient des mordus des pierres et des fossiles.
Pour enrichir votre science toute neuve, allez faire un tour au musée le plus proche. La plupart ont des vitrines d'expositions des spécimens locaux fort instructives pour le collectionneur qui se réveille en vous.

A lire

« Roches et Minéraux », Le petit guide Hachette n° 104.

« L'encyclopédie en couleurs de la Minéralogie », Marabout Université n° 68.

« Minéraux », Petit Atlas Payot-Lausanne n° 43.

« Les cristaux », Cannisen, Nouveau guide du naturaliste (Nathan).

Petit Lexique

Clivage (minéraux) - direction selon laquelle un cristal se brise en donnant une surface plane. Il peut y avoir un ou plusieurs plans de clivage (voir page 57).
Clivage (roches) - direction selon laquelle certaines roches métamorphiques, et particulièrement l'ardoise, se séparent en feuillets.
Cristal - morceau d'un minéral présentant naturellement des faces planes et certains angles (voir page 56).

Croûte terrestre - dernière couche supérieure de la Terre. Elle varie de 30 à 70 km d'épaisseur sous les continents, et de 6 à 8 km seulement sous les océans.

Dureté - la dureté d'un minéral est sa résistance à la rayure. On la chiffre à l'aide de l'échelle de Mohs (voir page 6).

Élément - particule de matière qui ne peut pas être décomposée en éléments plus petits.

Érosion - processus de dégradation des roches à la surface de la Terre par la pluie, le vent, le gel, etc.

Fossile - restes ou traces d'un animal ou d'une plante disparus. On les trouve dans les roches.

Gangue - roche qui renferme des fossiles ou des cristaux. Également le fin matériau qui sert de liant entre les cailloux d'un conglomérat ou d'une brèche.

Intrusions - masses isolées de roches magmatiques qui se forment lorsque le magma se fraye un chemin entre les roches et se solidifie avant d'atteindre la surface.

Lave - roche fondue qui s'est déversée à la surface de la Terre.

Magma - roches en fusion à l'intérieur de la Terre. En se solidifiant, elles donnent des roches magmatiques.

Magmatique (roche) - type de roche produite par le magma.

Manteau - partie de la Terre située entre le noyau et la croûte. Elle mesure environ 2 900 km d'épaisseur et sa partie supérieure renferme essentiellement de l'olivine.

Massif - caractère d'une roche ou d'un minéral informe.

Métamorphique (roche) - roche produite par la transformation d'une autre roche soumise à une forte chaleur et à une pression intense.

Mohs (échelle de) - série de dix minéraux classés par ordre de dureté croissante et qui sert à mesurer la dureté relative d'autres minéraux.

Noyau - partie centrale de la Terre. On pense qu'il est composé surtout de fer.

Nodule - morceau globuleux de minéral qu'on trouve dans les roches sédimentaires et qui se sépare facilement des roches voisines.

Poussière - couleur de la poussière d'un minéral. On l'obtient en frottant fermement un minéral contre un carreau blanc et mat.

Sédimentaire (roche) - roche formée de sédiments (sables, boues, ossements, etc.) sur la surface terrestre.

Texture - constitution d'une roche en faisant référence à la taille et à la forme des grains qui la composent.

Traces de pluie - traces laissées par la pluie sur une roche molle qui s'est ensuite durcie.

Translucide - se dit d'une substance qui laisse passer la lumière mais au travers de laquelle on ne distingue pas très nettement les objets.

Transparent - se dit d'une substance qui laisse passer la lumière et au travers de laquelle on distingue les objets (une vitre).

Index